Recettes d'Ève-Marie Bouché racontées par Claire de la Fayette
Illustratrice : Marianne Dupuy-Sauze

Photographie : Lionel Antoni
Stylisme : Anne Favier
Direction artistique : Élisabeth Hebert
assistée de Laure Bonnefoi-Calmels

FLEURUS

Remerciements

À ma mère, qui m'a donné le sourire
et le goût des bons p'tits plats,
à tous ceux qui sont chers à mon cœur, de France ou d'ailleurs,
en espérant les avoir très souvent à ma table.

Ève-Marie Bouché

Les auteurs tiennent à remercier
très chaleureusement (thermostat 8)
toutes celles qui ont mis
leurs mains à la pâte (sablée et feuilletée)
dans l'écriture de ce livre et ont accepté de partager
leurs petits secrets de cordons-bleus :
Anna, Armelle, Christine, Clotilde, Raphaële, Sarah, Sophie.
Qu'elles soient assurées de la reconnaissance éternelle de nos papilles !

À Juliette,
que ce livre lève la «malédiction»
de la famille Deumingôche !

Marianne Dupuy-Sauze

Un grand merci à Dimitri et Éléonore
qui nous ont prêté leur cuisine.

Encore une fois,
c'est sûr, vous allez vous l'arracher !

Ni moralo, ni intello, ni démago...
toute la vie des filles en 200 mots !

Le DICO des filles

Le DICO des filles

shopping
rêve
confiance
déprime   régime

FLEURUS

Le savoir-vivre des filles

Le savoir-vivre des filles

Le guide qui dépoussière le savoir-vivre !

BIENVENUE

BIENVENUE

FLEURUS

Avant-propos

La cuisine ? Pour vous, c'est l'endroit où maman (et parfois papa, mais là, il y en a jusqu'au plafond !) prépare les repas. Vous les regardez souvent, vous les aidez parfois, mais jamais vous ne vous lancez toute seule pour préparer un plat. La dernière fois que vous avez essayé, vous avez pris le gros livre de cuisine en haut du placard, vous l'avez ouvert au chapitre « Recettes très faciles pour débutants » et vous vous êtes demandé si c'était écrit en français : ébarber le poisson (depuis quand un poisson a de la barbe ?), blanchir la viande (comment on fait pour rendre blanche de la viande rouge ? C'est possible ?)…

Vous avez refermé le livre, dépitée…

Alors, les filles, voilà le guide qu'il vous faut !

Écrit simplement, dans un langage clair, il vous apprend à concocter des petits plats savoureux, pour les petits et les grands, pour les copines et les parents.

Pas moyen de rater ! Alors, à vos tabliers !

Sommaire

100% pratique ! 100% filles !

Pour réussir la préparation de chaque
recette, vous pouvez vous repérer grâce
aux pictogrammes suivants :

nombre des convives
qui vont se régaler

temps de préparation
(du courage, c'est bientôt prêt !)

temps de repos
(en attendant, un petit coup de fil
à une copine ?)

temps de cuisson
(un peu de patience, c'est bientôt cuit !)

La recette est fastoche !
Et du plus bel effet !

La recette n'est pas super-
fastoche, mais à votre
portée les filles !

Après les cours
avec les copines

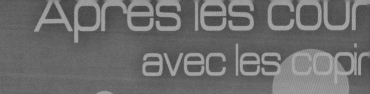

Vos copines débarquent chez vous après les cours.

Vous allez piapiater pendant des heures, discuter,

refaire le monde et surtout, surtout, parler du bel Édouard,

le plus beau mec du lycée !

Mais bavarder, cela pompe pas mal d'énergie.

Alors, pour recharger les batteries et arroser votre gosier

que ces heures de discussion auront tragiquement asséché,

voici quelques recettes, faciles et sympathiques !

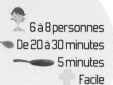
Fondue au chocolat

Pour les fondues de chocolat !

1. D'abord et avant tout, on lave les fruits, même ceux qu'on épluche. Ensuite, on les prépare : on retire la peau (mangue, agrumes, melon…), le trognon (pomme, poire…), le noyau (pêche, abricot, mangue…) et on les coupe en gros dés. Pas trop petits pour pouvoir les embrocher, pas trop gros pour pouvoir les avaler !

2. Pour varier les plaisirs, en plus des fruits, on peut préparer aussi des morceaux de gâteau, brioche et autres quatre-quarts. En fait, tout ce qui est bon nappé de chocolat fait l'affaire !

3. Il faut ensuite s'attaquer au chocolat : pour le faire fondre, les puristes utiliseront un service à fondue. Mais pas question de se priver si on n'est pas équipées : dans une casserole, ça marche aussi ! On casse donc le chocolat en morceaux, on y ajoute la crème. On fait fondre à feu chaud, sans laisser bouillir. On pense à bien mélanger pour avoir un résultat onctueux.

4. Voilà, c'est prêt : on a d'un côté les fruits et les gâteaux, de l'autre le chocolat crémeux. Devinez ce qu'il reste à faire ? !

Mlle Deumingôche

Mlle Deumingôche présente une corbeille de fruits à ses copines pour les tremper dans le chocolat. Celle qui a le melon est bien embarrassée, elle ne va quand même pas tremper le fruit en entier. Quant à celle qui récupère l'ananas, elle peut tremper les feuilles du haut, si elle veut, ce sera toujours mieux que rien !

Gage !

Et gare à celle qui laissera tomber
son morceau de fruit ou de brioche
dans la fondue ! Elle aura un gage.
Comme récurer la casserole pleine
de chocolat fondu, par exemple !

6 à 8 personnes
20 minutes
De 35 à 40 minutes
Facile

Galette
des Rois

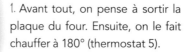

Vive les reines !

1. Avant tout, on pense à sortir la plaque du four. Ensuite, on le fait chauffer à 180° (thermostat 5).

2. Pour la préparation de la frangipane, on ne joue pas les apprenties sorcières, on suit scrupuleusement les indications écrites sur la boîte !

3. Pendant qu'elle refroidit, on déroule une pâte à tarte sur la plaque du four en la laissant sur le papier sulfurisé.

4. Ensuite, on étale la crème frangipane sur la pâte sans aller jusqu'aux bords. Et surtout, petites têtes en l'air, on n'oublie pas la fève !

5. Maintenant, il faut refermer la galette : on déroule donc l'autre pâte et, cette fois-ci, on retire le papier sulfurisé. On la place au-dessus de la première. On appuie sur les bords. Petit truc : mouiller le bord de la pâte avec un peu d'eau permet à la pâte du dessus d'adhérer.

6. Avec un pinceau (eh oui, on utilise parfois de drôles d'ustensiles en cuisine !), on étale le jaune d'œuf (ce qui veut dire qu'on a réussi à séparer le blanc du jaune…). On peut laisser aller ses talents d'artiste et dessiner de jolis motifs avec la pointe d'un couteau.

7. Cette magnifique galette se cuit au four en 35 à 40 minutes.

8. Elle se mange tiède : il faut donc la laisser refroidir un peu à la sortie du four. Si vous l'avez faite à l'avance, repassez-la 5 à 10 minutes au four pour la faire tiédir.

Mlle Deumingôche

Mlle Deumingôche achète des galettes de Pont-Aven en se disant que puisque c'est écrit « galette » sur le paquet, c'est pareil que la galette des Rois. Elle vide le paquet dans une assiette, met une fève au milieu et c'est à celle qui l'attrapera le plus vite !

Gloups !

Même si vous êtes affamée, ne vous jetez pas sur votre part de galette comme une lionne sur une antilope, vous risqueriez d'avaler la fève tout rond.

* 2 pâtes feuilletées toutes prêtes
* 1 sachet de préparation
  pour crème frangipane
* 1 jaune d'œuf
* 1 fève et 1 couronne

Le roi, c'est moi !

Vous n'avez pas de roi sous la main, puisque c'est un goûter entre copines. Ce n'est pas grave ! Passez-vous la couronne, c'est vous les reines !

Pommes au four

Pommes d'happy !

1. Comme pour toute recette au four, on commence par l'allumer à 160-180° (thermostat 4-5).

2. Ensuite, on se concentre, car arrive l'opération la plus délicate de la recette : réussir à retirer la peau ainsi que le trognon de la pomme sans la couper. Si, si, c'est possible, avec un économe pour la peau (on tourne tout autour, votre épluchure doit ressembler à un long serpent) et un vide-pomme pour le trognon (on espère qu'il y en a un dans votre cuisine, sinon il va falloir utiliser la pointe d'un couteau). Vous avez réussi ?

3. Maintenant, on peut souffler, il faut simplement placer les pommes dans un plat (qui va au four) et les saupoudrer de sucre vanillé. On peut aussi mettre une pincée de cannelle, mais il faut être sûre que vos copines aiment ça.

4. On enfourne pour 30 minutes.

5. Une fois les pommes cuites, on ajoute au centre de chacune une cuillère de gelée ou de miel. Au choix, selon le goût de vos copines. Et maintenant, croquez la pomme ! Si, si, vous avez le droit, il n'y a pas de vilain serpent pour vous causer des ennuis !

Les ingrédients

* 1 à 2 pommes par personne (assez grosses et pas trop farineuses, par exemple des goldens)
* Du sucre vanillé (environ un quart de sachet par pomme)
* De la gelée de groseilles ou de framboises ou du miel
* Éventuellement, de la cannelle en poudre

Mlle Deumingôche

Mlle Deumingôche ne lave ni ne pèle les pommes : elle les met direct au four. Comme il n'y a pas de trou dans la pomme, elle tartine la confiture sur la peau du fruit. Les invités ont donc dans leur assiette une pomme entière carbonisée, recouverte de confiture de groseilles, pour cacher le noir. Ils ne sont vraiment pas *happy* !

Pour les filles pressées

Cette recette peut aussi se faire au four à micro-ondes. 2 à 3 minutes puissance maximale. C'est plus rapide et c'est aussi bon !

Salade de fruits rouges

« Salade de fruits, jolie, jolie, jolie... »

1. On n'oublie pas cette règle de base : dès qu'on a une recette avec des fruits, on les lave. Ensuite, on les prépare : on ôte la queue et la collerette verte des fraises, on enlève peau, trognon, pépins et noyaux des autres fruits, et on coupe en dés.

2. On met tous les fruits dans un saladier et on ajoute le jus de citron, le sucre vanillé, le sucre et les feuilles de menthe lavées.

3. Une salade de fruits, c'est agréable frais, donc direction le réfrigérateur pour une trentaine de minutes.
Voilà une petite salade pour rugir (et rougir !) de plaisir !

Les ingrédients

* 500 g de fraises
* 200 g de framboises
* Autres fruits d'été : cerises, groseilles, abricots, pastèque...
* 2 cuillères à café de jus de citron
* 1 sachet de sucre vanillé
* 125 g de sucre (plus ou moins, selon que les fruits sont bien mûrs et sucrés ou non)
* Une dizaine de feuilles de menthe fraîche

Suggestion du chef

Vous pouvez arroser cette salade avec un coulis de fruits, une crème anglaise ou du sabayon. Elle sera encore meilleure !

Mlle Deumingôche

Mlle Deumingôche prend les fruits pleins de terre, les jette dans les coupelles sans les laver, balance du fromage blanc dessus pour cacher la misère. Sa salade de fruits est très croquante, c'est le moins qu'on puisse dire !

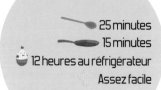

25 minutes
15 minutes
12 heures au réfrigérateur
Assez facile

Lemon curd

À nous les recettes anglaises (et pas seulement les petits Anglais !)

Mlle Deumingôche

Mlle Deumingôche prend ses citrons, les met tels quels à cuire dans la casserole et ajoute la préparation (beurre, sucre, œufs) dessus. Elle attend. Au bout de 1 heure, elle verse ces drôles d'îles flottantes citronnées dans des assiettes à soupe. Les invités se demandent ce que sont ces trucs-là !

1. On commence par laver les citrons. Ensuite, on les râpe entiers au-dessus d'une assiette avec un zesteur, une râpe fine ou, à défaut, un couteau. Attention, on veut des zestes, c'est-à-dire l'écorce jaune qui entoure le citron, mais surtout pas la peau blanche. Une fois qu'on a tout le zeste et que les citrons sont tout blancs, on les presse avec un presse-agrumes pour en recueillir le jus. Ouf, la première étape est finie !

2. Ensuite, dans une casserole, à feu doux, on met le beurre, le sucre, le jus et le zeste des citrons. Lorsque le beurre est complètement fondu, on mélange, on retire la casserole du feu et on laisse refroidir.

3. Pendant ce temps, on casse les œufs dans un bol et, à l'aide d'une fourchette, on les bat en omelette.

4. On verse cette omelette dans la casserole, on remue et on remet sur le feu très doux. On remue (encore !) régulièrement jusqu'à ce que le mélange épaississe (ne soyez pas impatiente, ça prend environ 10 minutes). Et surtout, n'arrêtez pas de remuer !

5. On choisit un joli pot à confiture et on verse le mélange dedans. On le laisse refroidir et on le place au réfrigérateur.

6. Il faut le laisser longtemps au réfrigérateur pour que ça se solidifie : l'idéal est de le préparer la veille pour le lendemain.

7. À servir avec des sablés ou des pancakes en préparant le prochain voyage scolaire en Angleterre.

Pour 1 gros pot :
* 2 citrons non traités (il faut que
ce soit précisé sur l'étiquette
ou sur la pancarte du prix)
* 60 g de beurre
* 120 g de sucre
* 2 œufs

Les ingrédients

Accro...

Attention, les filles ! Le lemon curd, c'est comme le Nutella® : une fois qu'on a commencé le pot, c'est dur de ne pas le finir !

Les ingrédients

* 200 g de chocolat noir
* 1 litre de lait
* 1 sachet de sucre vanillé

Éventuellement :

* 1 ou 2 pincée(s) de cannelle

Moustachue !

Attention aux moustaches que vous ferez en buvant ce délicieux breuvage, ou le chocolat de grand-mère risquerait de se transformer en choco de grand-père !

Chocolat chaud à l'ancienne

4 personnes
10 minutes
15 minutes
Facile

Le bon chocolat d'antan, comme le faisaient les grands-mères...

1. On casse le chocolat en petits morceaux dans une casserole avec quatre cuillères à soupe d'eau. Le feu doit être très doux pour que le chocolat fonde sans attacher.

2. Lorsque le chocolat est ramolli, on ajoute le sucre vanillé et, si on aime, la cannelle.

3. Dès que le chocolat forme une pâte bien lisse, on verse progressivement (attention, on a dit progressivement !) le lait en fouettant bien à l'aide d'un fouet ou d'une fourchette.

4. Quand on a ajouté tout le lait, on laisse chauffer un peu.

5. On retire du feu et on fouette énergiquement pour que le chocolat soit bien mousseux. C'est prêt !
Attention, cette boisson chaleureuse pousse aux confidences !

Mlle Deumingôche

Mlle Deumingôche met tous les ingrédients en même temps dans la casserole (chocolat, sucre, lait) et attend de voir.
Le chocolat accroche et reste au fond de la casserole, le lait dessus. Quand elle sert, elle vide le lait et racle le chocolat qu'elle jette, sploutch, dans chaque tasse.
Ce n'est pas exquis, ça c'est sûr !

Tout doux

Si vous aimez votre chocolat très onctueux, utilisez de préférence du lait entier. Vous pouvez éventuellement ajouter un peu de crème liquide et bien fouetter avant de servir.

Décorer
un gâteau
Il est pas beau, mon gâteau ?

● **Glaçage**

Attention, comme son nom ne l'indique pas, il ne s'agit pas de mettre de la glace sur le gâteau ! Le glaçage est une préparation qu'on verse sur le gâteau et qui se solidifie, qui devient presque cassante comme de la glace, d'où le nom de glaçage…

● **Recettes**

Déco

Vous pouvez en profiter, tant que votre glaçage n'a pas encore tout à fait pris, pour verser dessus des vermicelles en chocolat, des paillettes colorées, du cacao, des petits bonbons (fraises, Smarties…). Ainsi ils adhéreront bien au gâteau, comme des coquillages à vos pâtés ! Vous pouvez également dessiner ou écrire avec la pointe d'un couteau sur votre glaçage au chocolat, si vous êtes une artiste !

Pour le glaçage au chocolat : on fait fondre à feu doux 200 g de chocolat à pâtisserie en remuant sans cesse (vous pouvez éventuellement ajouter un peu d'eau pour rendre le mélange plus liquide). Lorsque le chocolat est fondu, on lui ajoute une grosse noix de beurre ou une bonne cuillère à soupe de crème fraîche (pour le rendre bien brillant) et on mélange. On verse ensuite sur le gâteau puis on lisse avec, par exemple, le dos d'un couteau (ça doit vous rappeler vos expériences de châteaux de sable, quand vous faisiez vos tours bien lisses et bien belles !). On laisse le glaçage prendre pendant au moins 30 minutes.

Pour le glaçage au sucre glace : on mélange dans un bol environ 200 g de sucre glace et deux cuillères à café d'eau. On obtient une pâte blanche lisse et très très épaisse, qu'on verse sur le gâteau et qui s'étale toute seule comme une grande, pas besoin de sortir la pelle et le râteau ! Un quart d'heure de solidification et hop, voilà votre beau pâté décoré !

● Mots doux

Vous pouvez utiliser une poche à douille pour écrire des mots doux sur votre gâteau avec du chocolat fondu, du glaçage au sucre, de la chantilly, de la crème au beurre... Mais attention, la douille (pas celle où l'on met l'ampoule électrique, hein, les filles, mais une douille de cuisine, c'est-à-dire une poche où l'on met la préparation d'abord, que l'on presse ensuite, avec une extrémité par laquelle la préparation sort) est un instrument dangereux. Préférez-lui des petits tubes de préparation liquide toute prête (blanc-parfum vanille, marron-parfum chocolat, rose-parfum fraise) avec un embout adapté : cela vous facilitera beaucoup les choses.

● Les bougies !

Pour un anniversaire, les bougies sont de rigueur. Il y en a de toutes sortes : des petites bougies traditionnelles, des bougies qui se rallument toutes seules (ah, ah, ah, qu'est-ce qu'on rigole !), des bougies feux de Bengale (qui pétillent de partout), des bougies en forme de chiffres...
Voici quelques petits conseils pour que l'opération bougies ne tourne pas au cauchemar !
* On les allume des plus intérieures aux plus extérieures, sinon on se brûle les doigts pour atteindre celles qui sont au centre du gâteau !
* On n'est pas obligée de mettre le nombre exact (à partir de 30, ça fait beaucoup, trois grosses bougies pour les dizaines feront l'affaire), surtout si la personne n'a pas envie qu'on connaisse son âge !
* On ne les allume pas une demi-heure avant d'apporter le gâteau, la cire fondue, ce n'est pas très comestible !
* On évite de mettre du chocolat en poudre, du sucre glace ou des paillettes volantes sur le gâteau couvert de bougies, pour éviter que lorsque la personne souffle, celui qui se trouve en face ne retrouve toute la garniture sur son chemisier !

Kitsch

Il existe également des décorations toutes prêtes, qui se mangent ou pas : petites figurines en plastique (qui ne se mangent pas !), fleurs en sucre ou en pâte d'amandes, messages d'anniversaire en pâte d'amandes (qui se mangent, en revanche !). Faites tout de même attention aux figurines que vous poserez sur le gâteau, parce que deux mariés pour une copine qui vient de vivre son premier chagrin d'amour, c'est bof !

Spécial
pique-nique

Et si on allait pique-niquer ?

Le soleil pointe à travers les nuages.

L'air devient doux.

Les feuilles verdissent sur les arbres.

Les filles remettent leurs petites robes à fleurs !

Voilà le printemps ! Et les pique-niques improvisés !

Alors, pour changer de l'éternelle salade de riz au thon et aux œufs qui tombe sur l'estomac comme un pavé dans la mare, voici quelques recettes originales pour un déjeuner sur l'herbe (de préférence, sans s'asseoir sur une fourmilière !).

4 personnes
10 minutes
10 minutes
Facile

Salade de pâtes
au gorgonzola et jambon de Parme

Un'insalata, per favore !

1. On fait bouillir trois litres d'eau salée dans une grande casserole. Ça bout ? Hop, on plonge les pâtes ! Et on les laisse cuire le temps indiqué sur l'emballage en remuant de temps en temps.

2. Pendant que les pâtes cuisent, il est interdit de se tourner les pouces. On coupe le gorgonzola en dés et le jambon en lamelles.

3. Au fond d'un saladier, on verse le vinaigre, sel et poivre, et on ajoute l'huile d'olive en remuant. Ça y est, tout est prêt.

4. Regardez l'heure… C'est le moment de sortir les pâtes cuites « al dente » pour les égoutter dans une passoire. On les passe rapidement sous l'eau froide, brrrr, on les égoutte de nouveau et on les laisse refroidir. On peut ajouter une cuillère d'huile d'olive pour que les pâtes ne collent pas.

5. On les verse dans le saladier, on ajoute le jambon, le gorgonzola et les olives, et on mélange le tout DÉLICATEMENT pour bien imprégner les pâtes sans faire une grosse bouillie.

6. On ajoute par-dessus les feuilles de basilic coupées finement avec une paire de ciseaux.
C'est frais, original et joli : cette salade va devenir un incontournable pour vos pique-niques.

Mlle Deumingôche
Mlle Deumingôche sait qu'une salade, ça se mange cru, alors, les pâtes, elle les a mises directement du paquet dans le saladier et les pique-niqueurs s'y sont cassé les dents...

* 350 g de pâtes (par exemple, des pennes, des rigatonis...)
* 200 g de gorgonzola (sorte de roquefort italien)
* 6 tranches de jambon de Parme
* 12 olives noires
* 3 cuillères à soupe d'huile d'olive
* 1 cuillère à soupe de vinaigre
* Quelques feuilles de basilic que vous aurez passées sous l'eau
Sel (1 cuillère à café rase de gros sel par litre d'eau), poivre

Ti amo

Et pour peu qu'un bel Italien passe dans le jardin où vous pique-niquez, alors vous entendrez « *Maqué, ye peux goûter ?* » Ah, l'Italie...

Tapenade

Dites-le avec une bonne tapenade

Les ingrédients

* 200 g d'olives noires dénoyautées
* 6 filets d'anchois
* 2 cuillères à soupe de câpres bien égouttées
* 1 gousse d'ail
* 3 cuillères à soupe d'huile d'olive
* Du poivre
* Du jus de citron

Mlle Deumingôche

Mlle Deumingôche s'est dit que dans le mot tapenade il y avait « taper », alors elle a commencé par taper les olives contre le mur pour les écrabouiller, mais ça ne marchait pas très bien. Alors, elle a carrément marché dessus, a taché définitivement le carrelage de la cuisine et ses espadrilles. Elle ne refera plus jamais de tapenade, c'est certain !

1. Tout d'abord, on vérifie que les olives sont bien dénoyautées, (sinon, au boulot !) parce que les noyaux dans le mixer maternel, c'est un conflit de générations assuré, et une cuisine à repeindre !

2. On épluche la gousse d'ail, et on la met dans le bol du mixer avec les olives, les anchois et les câpres. On mixe 10 secondes. On ajoute une cuillère à soupe d'huile d'olive. On mixe de nouveau 10 secondes. On ajoute une deuxième cuillère à soupe d'huile d'olive. On mixe encore 10 secondes (c'est un peu répétitif, mais c'est comme ça !). On ajoute la troisième et dernière cuillère d'huile d'olive. Et on mixe une dernière fois, juste pour le plaisir.

3. On assaisonne la tapenade selon son goût avec du poivre et éventuellement du jus de citron.
La tapenade se mange sur un toast, mais elle peut aussi agrémenter les sandwichs.

Toasteur

Nous vous rappelons que la tapenade se tartine, de préférence sur du pain grillé. Mais qui, de nos jours, a le mauvais goût d'oublier d'apporter son grille-pain en pique-nique ?

Salade
grecque

Un Olympe de salade !

1. On prend le concombre et on en coupe les extrémités. On l'épluche ensuite avec un économe, c'est plus facile.

2. On lave les tomates, on retire la queue et on coupe le pédoncule qui est en dessous (c'est la petite partie verte de la tomate qui ne se mange pas).

3. On coupe tout (tomates, feta et concombre) en dés.

4. On enlève la première pellicule extérieure des petits oignons blancs. On coupe la tige verte, la racine, on les passe sous l'eau et on les émince finement.

5. Au fond d'un grand saladier, on mélange l'huile d'olive, le jus de citron, du sel et du poivre. On peut ajouter de l'origan ou des feuilles de menthe coupées finement avec une paire de ciseaux. Et les olives, bien sûr !

6. Et hop ! On verse tous les ingrédients dans le saladier et on mélange bien.

Les ingrédients

* 1 beau concombre (ce serait dommage d'en prendre un moche)
* 6 tomates
* 1 paquet de feta (fromage grec de brebis)
* 2 petits oignons blancs
* 2 poignées d'olives noires dénoyautées
* 3 cuillères à soupe d'huile d'olive
* 1 cuillère à soupe de jus de citron
* Sel, poivre
* Et pour parfumer, si le cœur vous en dit : un peu d'origan ou quelques feuilles de menthe fraîche

OVNI

Certes, c'est un plat grec, mais vous n'êtes pas obligée de jeter vos assiettes à la fin du pique-nique, surtout que, comme elles sont probablement en carton, elles risquent de voler comme des soucoupes volantes !

Les ingrédients

* 200 g de dés de jambon
* 100 g d'emmental râpé
* 3 œufs
* 150 g de farine
* 1 sachet de levure chimique
* 6 cuillères à soupe de crème fraîche
* Sel, poivre
* Un peu de beurre pour le moule

Mummh !

C'est tellement bon que la prochaine fois que votre mère vous demandera de choisir votre gâteau d'anniversaire, vous la laisserez baba en répondant : « Un gâteau au jambon ! »

Gâteau
au jambon et fromage

6 personnes
15 minutes
De 30 à 40 minutes
Facile

Un gâteau salé, en voilà une bonne idée !

1. D'abord, on allume le four à 180° (thermostat 5).

2. Pendant qu'il chauffe, on ne reste pas plantée là comme un baobab. On casse les œufs dans un saladier et on les bat au fouet. Puis, on ajoute la farine et la levure et on continue de battre d'un bras ferme. On verse maintenant la crème fraîche et on finit de mélanger. Votre bras vous fait mal ? C'est bon signe.

3. On fait une pause, le temps d'ajouter les dés de jambon et le fromage râpé, et recommence à mélanger. Ça refait mal ? Arrêtez et ajoutez sel et poivre.

4. On verse la pâte dans un moule à gâteau, un moule à cake, ou même 6 ramequins, comme vous le sentez, du moment que vous les avez préalablement beurrés.

5. Maintenant que le four est chaud, on y place le gâteau. Allez voir ailleurs et revenez 30 minutes plus tard. Plantez un couteau dans le gâteau. S'il ressort propre, c'est cuit. Sinon, laissez-le encore 10 minutes.
Voilà un plat qui remplace agréablement les sandwichs lors d'un pique-nique.

Mlle Deumingôche

Mlle Deumingôche s'est dit qu'elle allait se simplifier la tâche : elle a acheté un cake tout fait, l'a coupé en deux et a mis une tranche de jambon dedans et dessus du gruyère râpé. Mais ce sandwich mixte sucré-salé a eu peu de succès au pique-nique organisé !

Petits sandwichs
À dévorer tout crus !

L'Indien des steppes

Les ingrédients

* Du pain pita
* Des blancs de poulet
* Quelques feuilles de salade
* Du fromage blanc
* De la mayonnaise (pour les gourmandes courageuses, faites-la vous-même en suivant nos conseils p. 131)
* Du cumin
* Du curry
* Des raisins secs (de Corinthe ou d'ailleurs)

1. Dans un bol, on mélange deux tiers de fromage blanc pour un tiers de mayonnaise et, d'une main légère, voire aérienne, on saupoudre le tout de cumin et de curry. Seule solution pour savoir si c'est assez relevé : goûter !

2. On étale généreusement ce mélange sur deux pains pita. Hop, hop, hop ! Il ne faut pas non plus que ça dégouline…

3. On pose un peu de salade, du poulet et une poignée de raisins secs sur l'un des pains et on referme le sandwich, délicatement.

L'Indien des steppes se déguste lors d'une pause-randonnée, les yeux perdus dans un paysage sublime.

Cot, cot, codet !

On prend le temps de découper des escalopes de poulet en lamelles et de les faire cuire à la poêle, c'est meilleur… Mais si on est pressée (ou flemmarde), on peut les acheter en tranches, comme le jambon.

Le ténébreux du Grand Nord

1. On coupe les petits pains en deux et l'avocat en lamelles, et non l'inverse !

2. On étale du tarama sur chaque moitié. Là encore, n'en faites pas trop, sous peine de vous retrouver avec une belle tache rose saumon sur votre petit chemisier blanc…

3. Sur la moitié du bas, on pose une feuille de laitue, une tranche de truite fumée et quelques lamelles d'avocat. On ajoute dessus quelques gouttes de jus de citron et un peu de ciboulette.

4. Enfin, on pose le chapeau par-dessus sans l'écraser !

Le ténébreux du Grand Nord, on s'en délecte avant de dévaler une piste noire. Ou bien la porte du congélateur ouverte, si l'on manque de temps pour chausser ses skis avant le déjeuner.

Les ingrédients
* Des petits pains de seigle individuels
* De la truite fumée (cela s'achète sous vide, comme le saumon, mais c'est moins cher…)
* Du tarama
* 1 avocat
* Quelques feuilles de laitue
* Du jus de citron
* De la ciboulette

Mlle Deumingôche
Mlle Deumingôche a un problème pour distinguer sa droite de sa gauche et l'intérieur de l'extérieur. Du coup, ses sandwichs sont garnis à l'extérieur et, entre les tranches de pain, eh bien, il n'y a rien !

Le gentil p'tit grec

1. On commence par couper en tranches l'avocat et la tomate (tirez la langue en coupant, vous verrez, les tranches seront plus fines).

2. On fait griller deux tranches de pain de mie, au grille-pain ou au four.

3. On étale soigneusement (on ne va pas vous le dire à chaque fois !) du tzatziki sur deux tranches de pain et on saupoudre légèrement de paprika.

4. Sur la première tranche, on pose une ou deux tranches de tomate, quelques tranches d'avocat et on y jette négligemment une poignée de crevettes, comme les grands chefs.

5. On termine par quelques gouttes de jus de citron et on pose la seconde tranche de pain au-dessus (le tzatziki à l'intérieur, cela va sans dire) pour refermer le sandwich.

Le gentil p'tit grec se grignote tout frais, en bord de mer, avec du sel dans les cheveux et du soleil dans les yeux.

Les ingrédients
* Du pain de mie
* Du tzatziki (spécialité grecque à base de concombre et de fromage blanc)
* 1 avocat
* 1 tomate
* Des crevettes cuites décortiquées
* Du jus de citron
* Du paprika

Les ingrédients

* 200 g de chocolat noir
  à pâtisserie
* 200 g de sucre
* 100 g de beurre demi-sel
* 150 g de farine
* 4 œufs
* Un peu de beurre pour le moule

Gâteau moelleux au chocolat

6 personnes
20 minutes
De 30 à 40 minutes
Facile

Un peu de douceur chocolatée dans ce monde de brutes !

1. On allume le four à 180° (thermostat 5). C'est toujours ça de fait !

2. On casse le chocolat en morceaux et on le met au micro-ondes (dans un récipient qui va au micro-ondes, c'est mieux) avec le morceau de beurre. Deux minutes : dring ! C'est prêt !

3. Attention, voici la partie musclée : on verse le chocolat dans un grand récipient. On ajoute le sucre et on mélange avec une cuillère en bois. Puis, on ajoute les œufs et on mélange encore. Enfin, on ajoute progressivement la farine tout en mélangeant. Allez, les filles, le décathlon c'est pour bientôt !

4. Bravo, vous avez obtenu une belle pâte ! On beurre le moule et on la verse dedans.

5. On laisse cuire 30 à 40 minutes. Pour savoir si le gâteau est cuit, on plante régulièrement un couteau en fin de cuisson (s'il ressort propre, le gâteau est trop cuit. Juste avant, il est moelleux).

6. Vous pouvez servir ce gâteau avec de la crème anglaise ou une boule de glace à la vanille pour épater la galerie. Mais pour le pique-nique, mieux vaut faire simple… Parce que, pendant le voyage, la glace à la vanille se sera transformée en crème anglaise, quoi que vous fassiez !

Léger, léger !

Dénichez un magasin qui vend des produits asiatiques près de chez vous et remplacez la farine de blé par de la farine de riz, qui rendra votre gâteau très léger !

Quiches
et tartes salées

C' qu'elles sont tartes, ces quiches !

Voici quelques idées de tartes salées

* Quiche lorraine
* Tarte au saumon frais
(voir la recette p. 114),
* Tarte au poireau
(s'il est frais vot'poireau,
il faudra le faire bouillir au
moins 20 minutes en ayant pris
soin de ne garder que la partie
blanche, la plus savoureuse)
* Tarte saumon-poireau
* Tarte saumon-épinards
* Quiche au thon
* Tarte à l'oignon
* Tarte tomates-fromage
de chèvre
* Tarte au roquefort
* Tarte au reblochon
* Tarte aux champignons
* Tarte aux courgettes
* Tarte courgettes-fromage
de chèvre
* Tarte tomates-mozzarella…

● Primo : la pâte !

Il existe toutes sortes de pâtes à tarte toutes prêtes – brisées, feuilletées – (rayon frais de votre supermarché). Choisissez-les de préférence au beurre, elles seront plus savoureuses, mais moins light, on est d'accord ! D'un autre côté, vous n'êtes pas obligée de mettre toute la famille au régime !

Les pâtes prêtes à l'emploi sont déjà étalées et roulées sur du papier sulfurisé : ne le retirez pas, malheureuse ! Il évitera que la pâte ne colle au moule (ou le moule à la pâte, comme on veut !). Pensez à piquer la pâte avec les dents d'une fourchette lorsqu'elle est étalée dans le moule.

Les tartes salées cuisent environ 30 minutes dans un four qu'on aura bien préchauffé, à 180 ou 200° (thermostat 5-6).

● Secondo : la farce !

Quiches et tartes salées ont presque toutes la même base, ce qui permet d'improviser des recettes selon votre imagination (débordante), ou en fonction de ce qui reste dans le réfrigérateur (surtout !).

La garniture qu'on met sur la pâte est toujours liée par un mélange d'œufs et de crème fraîche (allégée, hein les filles !) battus ensemble (25 cl de crème fraîche pour 3 œufs + un peu de sel et de poivre). Une fois les ingrédients de votre choix déposés sur la pâte, on verse dessus ce mélange de façon à ce qu'il les recouvre en bonne partie. Légumes, poissons et viandes doivent généralement être précuits avant d'être intégrés à la tarte. Madame tomate, elle, peut en être dispensée : coupée en rondelles, elle aura le temps de cuire dans le four.

Allez, les filles, à vos plats,
vos spatules et vos couteaux !

On ne vous fera pas la blague :
« Et ne soyez pas trop
des quiches pour faire
vos tartes salées ! »

oeuf
tomates
garniture
pâte à tart

Belle
en maillot

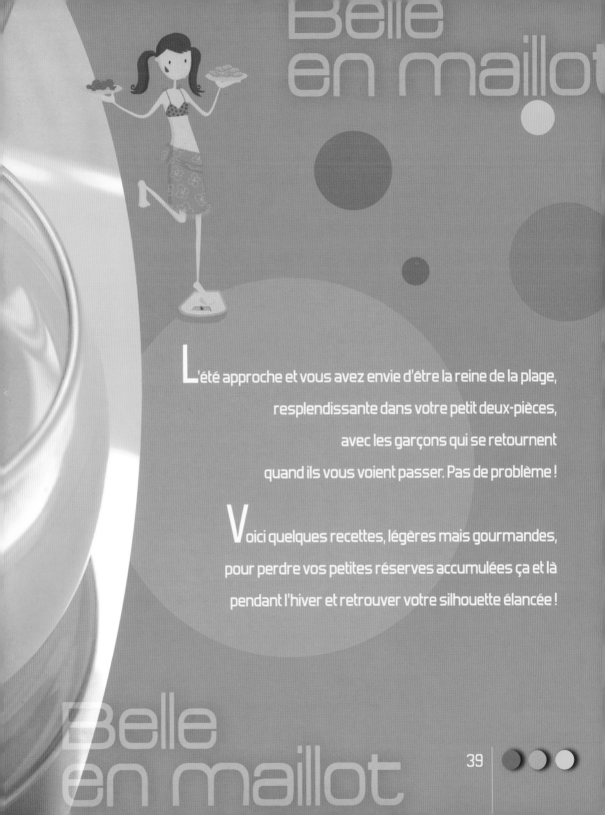

L'été approche et vous avez envie d'être la reine de la plage,

resplendissante dans votre petit deux-pièces,

avec les garçons qui se retournent

quand ils vous voient passer. Pas de problème !

Voici quelques recettes, légères mais gourmandes,

pour perdre vos petites réserves accumulées ça et là

pendant l'hiver et retrouver votre silhouette élancée !

Brochettes de melon

En perles ou en dés, un petit plaisir d'été !

Un beau melon !

Un petit truc pour choisir des melons bien sucrés : la queue doit facilement se détacher, le melon doit être bien lourd (n'hésitez pas à comparer pour choisir le plus lourd).

Mlle Deumingôche

Mlle Deumingôche prend dix melons, des piques à brochettes en fer pour le barbecue, enfile les melons dessus et sert le tout à ses invités, avec un air pas très sûr d'elle : « J'ai pas dû bien comprendre la recette, là... »

1. Allez, hop ! On coupe les melons en deux, attention aux doigts ! On enlève ensuite les pépins sans creuser la chair trop profondément.

2. On coupe chaque moitié en six tranches pas trop épaisses. On retire ensuite la peau, sans laisser trop de chair, mais sans couper dans le vert non plus. Délicat équilibre ! On coupe ensuite les tranches en dés. S'ils ne sont pas parfaitement cubiques, pas de soucis, on fait de la cuisine, pas de la géométrie ! Et les ronds, c'est bien aussi !

3. Avec le jambon, on s'applique à faire de jolis petits rouleaux après avoir découpé chaque tranche en lamelles.

4. Pour composer les brochettes, on alterne melon et jambon sur les piques à brochettes. Faites appel à votre célèbre fantaisie pour inventer des brochettes aussi délicieuses à regarder qu'à déguster. On peut varier les couleurs et les saveurs en utilisant de la pastèque, du fromage (allégé bien sûr), des figues, des tomates cerises, des feuilles de menthe fraîche ou des grains de raisin.

5. On remet les brochettes au frais au moins 10 minutes avant de servir. Pour les surdouées : on peut enrouler le melon dans le jambon et faire d'une bouchée deux goûts !

* 2 melons classiques
  (chair orange)
* 1 melon d'Espagne (ovale, peau
  jaune et chair vert clair)
* 8 tranches de jambon cru
* 12 piques à brochettes en bois

Truc de filles

Avec une cuillère pour faire des
boules de glace, faites des petites
boules de melon pour donner
des airs de colliers de perles
à vos brochettes.

Les ingrédients

* 10 carottes
* 1 orange pressée ou 1 verre de jus d'orange en bouteille
* 1/2 citron
* 2 cuillères à soupe de miel
* 1 cuillère à café de moutarde
* 1/2 cuillère à café de cumin en poudre
* 1/2 cuillère à café de gingembre en poudre
* 4 cuillères à soupe d'huile d'olive
* 3 gousses d'ail
* De la coriandre fraîche ou surgelée
* Sel et poivre

Salade marocaine
de carottes à l'orange

Une petite entrée orientale qui rend aimable

1. Avec cette recette, on va faire valser les carottes ! On commence par les éplucher et les rincer soigneusement.

2. Puis on réveille la fine lame qui dort en nous et on découpe les carottes en rondelles. Et en rythme, s'il vous plaît ! Attention aux doigts, tout de même…

3. Pour faire cuire les carottes, deux options s'offrent à vous : soit les faire bouillir, soit les faire cuire à la vapeur. Je sais, on a rarement vu plus cornélien comme dilemme. Grosso modo : bouilli, c'est un peu plus rapide ; vapeur, cela préserve mieux les qualités diététiques.

4. Au bout d'une dizaine de minutes, on vérifie la cuisson en piquant une carotte. Si elle crie, c'est qu'elle est toujours vivante ! Plus sérieusement, si elle est moelleuse c'est cuit, mais c'est bon aussi quand les carottes sont légèrement croquantes.

5. On profite du temps de cuisson pour préparer une vinaigrette à l'orange. Dans un bol, on mélange le jus d'orange, le jus de citron, le sel, le poivre, le cumin et le gingembre, puis on y ajoute le miel et la moutarde. On mélange vigoureusement tout ce beau monde avant d'ajouter progressivement l'huile d'olive tout en continuant de mélanger. Allez, allez, on ne faiblit pas, le poignet souple mais le bras ferme !

6. Quand les carottes sont cuites, on les dispose dans un joli plat, on parsème d'ail et de coriandre préalablement hachés, puis on verse la vinaigrette à l'orange.

7. On couvre le tout d'un film transparent et on laisse reposer au frais, le temps que les carottes s'imprègnent de toutes ces saveurs orientales.

43

8 personnes
18 minutes
Facile

Légumes frais
au fromage blanc

De craquants petits légumes... à croquer !

1. La sauce : rien de plus facile, il suffit de mélanger les ingrédients. On fouette gaiement le fromage blanc et la moutarde, jusqu'à ce que le mélange soit parfaitement onctueux. On ajoute les herbes, le sel et le poivre et on mélange de nouveau. Maintenant qu'on l'a échauffée, on met cette sauce au réfrigérateur en attendant de servir.

Mlle Deumingôche

Quand elle prépare des légumes au fromage blanc, Mlle Deumingôche met autant de fromage blanc dans le bol qu'à côté, s'obstine à vouloir faire des bâtonnets de tomates et confond le concombre avec une courgette ! Quand elle sert le tout, elle dit : « Oh mince, j'ai oublié de laver les légumes... » ce qui fait que personne n'a vraiment envie de goûter son plat !

2. Pendant que la sauce prend le frais, on fait un sort aux légumes. Toujours aussi facile ! On commence par éplucher le concombre et les carottes. On découpe le chou-fleur en petits bouquets, en commençant par le pied, après avoir enlevé toute la verdure. On ouvre les poivrons et on enlève les parties plus claires et les pépins. On équeute les radis.

3. Et hop, tout le monde à l'eau ! On rince soigneusement les légumes, en particulier les bouquets de chou-fleur et l'intérieur des poivrons pour en enlever les pépins réfractaires. On sort tout ce petit monde du bain et on les sèche soigneusement avec du papier absorbant.

4. Étape découpage : pour les tomates, les radis et les petits bouquets de chou-fleur, c'est vite vu, on les laisse entiers. On découpe concombre, carottes et poivrons en longs et fins bâtonnets. (Suivez les bons conseils dans Séance d'épluchage p. 144.)

5. On présente les légumes harmonieusement sur un plat, en farandole autour du bol de fromage blanc aux herbes, ou dans une panoplie de petits bols assortis.

Les ingrédients

* Des légumes à manger crus :
carottes, chou-fleur, tomates
cerises, concombre, poivrons,
radis…
Pour la sauce :
* 100 g de fromage blanc
20 % de matière grasse
* 1 petite cuillère à café de
moutarde douce ou de moutarde
à l'ancienne
* L'équivalent de 1 tasse
d'herbes hachées fraîches
ou surgelées (persil, ciboulette,
estragon, basilic)
* Sel, poivre

Apéro light

Et voilà un apéritif garanti
presque sans calories et
100 % fraîcheur !

Les ingrédients

* Un quart de potiron (environ 1,5 kg)
* 2 cubes de bouillon de volaille
* 200 g de crème fraîche allégée
* Sel et poivre

Méli-mélo

Potiron, Halloween, novembre, maillot de bain… Quel rapport ? Et la piscine, vous y avez pensé ? Allez, les filles, être belle en maillot, ça vaut le coup toute l'année !

Soupe au potiron

Bouhhh...

6 personnes
30 minutes,
40 minutes
Facile

1. Éplucher un potiron, ce n'est pas une mince affaire. Préparez-vous à jouer les gros bras. On commence par couper le quart de potiron en tranches. On évide ensuite les tranches en enlevant la partie fibreuse et les pépins. Puis, on les épluche avec un couteau bien coupant, en enlevant la peau par petits morceaux.

2. Voilà, le plus dur est fait ! Il ne reste plus qu'à couper le potiron en morceaux et à le plonger avec les cubes de bouillon de volaille dans un litre d'eau bouillante salée. On laisse cuire 30 minutes, juste le temps de souffler.

3. Finie la pause ! On mixe le potiron dans son jus de cuisson. Pour obtenir une soupe plus onctueuse, on ajoute de la crème fraîche (légère, *of course !*), on assaisonne, puis on remet le tout sur le feu jusqu'à la reprise de l'ébullition. On garde un œil sur la casserole pour la retirer du feu dès les premières bulles.

4. Servez aux joyeux convives, qu'ils portent ou non d'horribles costumes...

Soupière d'Halloween

Avec un potiron entier, on peut fabriquer une terrifiante soupière. On commence par en découper le haut comme on découperait un couvercle et on vide ensuite le potiron. Pour extraire la chair plus facilement, on peut passer le potiron au four, à feu doux, après l'avoir épépiné. Une fois la chair bien tendre, elle se détache très facilement, utilisez-la pour préparer la soupe. Servez votre soupe d'Halloween dans cette soupière d'enfer, déguisée en terrifiante sorcière !

Coupe fraîcheur
au kiwi

Un dessert léger, léger... même si la coupe est pleine !

Les ingrédients

* 6 kiwis mûrs
* 3 feuilles de basilic
* 4 cuillères à café de miel
* Du fromage blanc 20 % de matière grasse
* De la glace à la vanille ou au miel-nougat, allégée de préférence

Mlle Deumingôche

Les pelures de kiwi de Mlle Deumingôche sont tellement épaisses que, dans les bols, il n'y a plus de kiwi (parti à la poubelle avec les pelures !) et seulement du basilic... Pourtant le vert y est ! Mais beurk !

Une recette simplissime à préparer en deux temps, trois mouvements.

1. Mouvement n° 1 : on épluche les kiwis et attention à faire des pelures bien fines, s'il vous plaît !

2. Mouvement n° 2 : on coupe les kiwis en petits morceaux.

3. Mouvement n° 3 : on mélange les kiwis avec le basilic haché et le miel.

4. Mouvement n° 4 (d'accord, il vous faudra un peu plus de trois mouvements pour réaliser ces jolies coupes fraîcheur) : on répartit le mélange dans de jolis bols.

5. Mouvement n° 5 : on ajoute deux cuillères de fromage blanc battu et une boule de glace dans chacun des bols.

6. Mouvement optionnel : décorez le tout à votre idée, avec une feuille de basilic ou une petite ombrelle.

48

Cocktail
vitaminé

Pour penser et se dépenser

1. Pour préparer ce délicieux cocktail estival à siroter en remontant de la plage, munissez-vous d'un grand pichet, d'un couteau et d'un presse-agrumes.

2. Pour commencer, on verse la grenadine et le sirop de canne au fond du pichet. Attention, les filles, on veille à bien respecter la dose prescrite si on veut rester belle en maillot !

3. Ensuite, pas de pitié pour les agrumes, on les presse jusqu'au trognon (on garde le citron de côté). Et à la main bien sûr, comme ça, on fait de l'exercice en même temps ! On verse au fur et à mesure le jus obtenu dans le pichet, sinon gare au débordement du presse-agrumes !

4. On allonge le tout en ajoutant l'eau ou la limonade.

5. Sans aller jusqu'à faire subir à cette boisson l'épreuve du shaker, on l'agite joyeusement avec une grande cuillère.

6. Servez dans de grands verres décorés avec une rondelle de citron ou une cerise confite (juste pour faire joli…) et avec une paille, bien sûr !

Les ingrédients
* 1 pamplemousse rose
* 6 oranges à jus
* 1 citron jaune ou vert non traité (ou 1 de chaque)
* Environ 50 cl d'eau plate ou gazeuse ou de limonade
* 2 cuillères à soupe de grenadine
* 3 cuillères à soupe de sirop de canne

Mlle Deumingôche
Mlle Deumingôche se prend pour Tom Cruise. Elle met sa préparation dans un shaker et agite, agite. Le problème, c'est qu'elle n'a pas bien vissé le bouchon du shaker, alors, sa boisson, elle la retrouve sur les murs du salon !

Les salades vertes et les salades composées

Qui mange de la salade n'est jamais malade !
(dicton de nos grands-mères)

Autres salades

Il y a aussi la mâche (petites feuilles rondes), les pousses de pissenlit (allez voir dans votre jardin), la roquette (longues feuilles avec plein de dents), qui ont chacune un petit goût spécial, pour changer !

Pour les têtes en l'air

On lave sa salade à l'eau FROIDE, et non à l'eau chaude, sinon elle cuit !

● Des salades…

Il en existe de toutes sortes : laitue (la salade de base que tout le monde connaît, avec de larges feuilles vertes), feuille de chêne (qui ressemble aux… feuilles de chêne, bravo !), frisée (toute frisée !), batavia (verte avec des dents). Bon, le tout, pour la choisir, c'est qu'elle soit fraîche, que les feuilles soient pimpantes et pas ratatinées, rabougries, fatiguées ! Le tout existe aussi en rouge : les salades dites « rouges » sont un peu plus croquantes.

● Éplucher une salade

On coupe les feuilles (avec les doigts, ça marche aussi), on jette les abîmées s'il y en a, on les lave, plusieurs fois si elles se sont beaucoup baladées et ont mis de la terre dans leurs souliers ou si des escargots et autres limaces y ont élu domicile ! Et on essore dans une essoreuse à salade (à ne pas confondre avec la machine à laver en position essorage !) ou un panier à salade qu'on balance d'avant en arrière (ce qui permet d'éclabousser les voisins sur le balcon d'à côté !).

50

● Sauces de salade

La salade comme ça, sans rien, c'est bon pour les lapins ! Pour les humains, il vaut mieux l'accommoder avec une petite sauce. Petite sauce à mettre au dernier moment sur la salade, sinon, elle ramollit, cuit, se ratatine avant l'heure.

* La sauce vinaigrette

D'abord, une cuillère de moutarde au fond du plat, puis une cuillère de vinaigre dessus, plus sel et poivre et on touille, puis deux cuillères d'huile de votre choix, et on touille encore. Fastoche !

* La sauce au yaourt

D'abord un yaourt dans le plat, splosh (allégé, pour les amatrices de bikini !). On le bat au fouet, il a été vilain, on ajoute la cuillère d'huile, la cuillère de vinaigre, le sel, le poivre. On rebat au fouet (en fait, ils ont tous été très méchants !). Un petit tour au réfrigérateur et puis s'en vont vers la salade !

● Pour égayer vos salades vertes

Pour changer du vert monochrome, voici quelques ingrédients crus que vous pouvez ajouter à votre salade pour qu'elle se fasse des copains : des tomates, des poivrons (oh, des copains rouges !), des champignons, des pousses de soja (oh, des copains blancs !), des avocats, des concombres, des poivrons (oh, des copains de la même couleur que moi !).
Si vous êtes adepte du sucré-salé, vous pouvez aussi ajouter des fruits : pamplemousse, ananas, pomme, orange, figue, raisins secs…

Aïoli

Certains aiment ajouter de l'ail ou de l'échalote dans leur vinaigrette pour donner plus de goût à leur sauce, et plus d'haleine aux gens qui en mangent !

sos
maman !

Maman appelle du travail en disant qu'elle rentrera un peu plus tard et qu'il faut que vous prépariez le dîner pour tout le monde. Plutôt que d'installer vos frères et sœurs devant la télévision avec des chips, du saucisson, des chamallows et des cornichons (il faut bien un peu de légumes, quand même !), voici quelques idées de plats faciles à préparer toute seule pour le dîner.

4 personnes
10 minutes
10 minutes
Facile, sí !

Tagliatelles
à la carbonara

Pasta ? Sí, grazie !

1. Dans une grande casserole, on fait bouillir trois litres d'eau. À ce moment-là, et pas avant, on ajoute trois cuillères de gros sel. Splash, on plonge les pâtes dans l'eau sans s'ébouillanter. En attendant que de nouveau les petites bulles d'eau, blop, blop, réapparaissent à la surface, on remue les pâtes pour qu'elles ne collent pas au fond de la casserole. (Voir le spécial pâtes p. 66).

2. Pendant la cuisson, on ne compte pas les blop blop dans la casserole, mais on fait dorer les lardons dans une poêle à feu vif : ce n'est pas la peine d'ajouter de la matière grasse, les lardons en rejettent suffisamment !

3. Juste avant d'égoutter les pâtes dans une passoire, on mélange la crème fraîche et le jaune d'œuf dans un saladier. On verse les pâtes dans cette sauce onctueuse et on mélange vite et bien. On ajoute les lardons et on mélange une dernière fois.

4. Servez aussitôt, avec le parmesan à disposition pour les gourmands qui vont se régaler.

Mlle Deumingôche
Mlle Deumingôche trouve que des tagliatelles à la carbonara, ça sonne comme des tagliatelles au carbone, alors, elle les laisse bien brûler dans la casserole !

Al dente !
La mamma vous l'a sûrement déjà expliqué, les bonnes pâtes sont cuites « al dente » ! Ce soir, elle sera ravie de constater que vous avez suivi ses conseils avec succès.

* 400 g de tagliatelles
(ça marche aussi avec d'autres
formes de pâtes, il suffit de
changer le nom de la recette !)
* 200 g de lardons
* 25 cl de crème fraîche
(allégée si vous voulez)
* 1 jaune d'œuf
* Parmesan (ou, à défaut, du
gruyère râpé : tant pis pour la
cuisine italienne typique
et authentique !)
* Gros sel

Après...

Pour le dessert, prévoyez quelque
chose de léger, comme des fruits,
par exemple, ou de la glace, plutôt
qu'un fondant au chocolat triple
crème, parce que sinon, la digestion
risque d'être difficile !

Salade d'endives
au roquefort et aux noix

4 personnes
8 minutes
Facile

Attention, ce n'est pas une recette à la noix !

Les ingrédients

* 4 ou 5 belles endives (fermes et bien blanches)
* 200 à 250 g de roquefort
* 10 noix ou une vingtaine de cerneaux de noix
* 1 cuillère à café de moutarde
* 1 cuillère à soupe de vinaigre (de vin, de noix ou balsamique)
* Huile (de tournesol, d'olive, de colza, de noix ou plusieurs en mélange)
* Sel, poivre

Trop de noix tue la noix !

N'hésitez pas à utiliser une huile ou un vinaigre de noix qui seront délicieux dans cette recette, mais évitez d'utiliser les deux ensemble…

1. Les endives d'abord : rien de plus facile. Il ne faut même pas les laver, cela risquerait de les rendre plus amères. Beurk ! Il suffit de couper la base et de détacher les feuilles extérieures. On retire la partie centrale qui est dure et amère (le trognon). Voilà, elles sont prêtes pour être coupées en lamelles de 2 cm de large environ.

2. La sauce ensuite : encore plus facile ! Dans un grand saladier, on mélange la moutarde, le vinaigre, une pincée de sel et une nuée de poivre. On fait couler l'huile progressivement en remuant joyeuse-ment. On goûte : si la moutarde vous monte au nez, c'est que la sauce est trop piquante… On ajoute alors de l'huile et ça ira tout de suite mieux !

3. On coupe le roquefort en dés. Après cet exercice de haute précision, vous pouvez vous lâcher : émiettez les cerneaux de noix, à coups de marteau si vous voulez vous défouler !

4. Il ne reste plus qu'à mettre les endives, le roquefort et les noix dans le saladier. Mélangez, le tour est joué !
C'est simple, mais ça fait toujours son petit effet, votre maman sera épatée !

Omelette

4 personnes
5 minutes
5 minutes
Très facile

On n'en fait pas sans casser des œufs...

1. Dans un saladier, on casse les œufs, on ajoute le lait ou la crème, une cuillère à café de sel, un tour de moulin à poivre. On mélange vivement avec un fouet ou une fourchette. On ajoute éventuellement le jambon et/ou le fromage râpé. On mélange de nouveau. Allez, allez, plus vite que ça !

2. On met le beurre dans une grande poêle antiadhésive sur un feu moyen-fort. Lorsque le beurre grésille, on le répartit (soit en inclinant la poêle, soit en utilisant une spatule en bois). On verse les œufs battus et on laisse cuire. Mumm, on commence à avoir faim !

3. Si vous aimez l'omelette bien cuite, retournez-la lorsqu'elle est cuite aux trois quarts. Si vous l'aimez baveuse, ne cuisez pas l'autre face.

4. Pour une jolie présentation, on plie l'omelette en deux et on la glisse sur une assiette chaude, en douceur...

Les ingrédients

* 9 œufs
* 3 cuillères à soupe de lait ou 2 cuillères à soupe de crème fraîche
* 20 g de beurre
* Sel, poivre
Éventuellement :
* 1 ou 2 tranche(s) de jambon coupée(s) en petits morceaux
* 50 g de gruyère râpé

Mlle Deumingôche

Mlle Deumingôche casse les œufs dans le saladier et jette les coquilles avec, cela fait une omelette plus croustillante !

Pour la poêle...

Comme disaient nos grands-mères : 2 œufs par personne + 1 pour la poêle, car la poêle aussi aime bien les œufs !

Recettes de grands-mères

Les ingrédients

* 4 tomates bien mûres de taille moyenne
* 2 ou 3 cuillères à soupe d'huile d'olive
* 3 gousses d'ail
* 1 bouquet de persil
* 15 g de chapelure
* Sel, poivre

Tomates
à la provençale

4 personnes
10 minutes
35 minutes
Facile

Fermez les yeux : vous entendez le mistral bercer les pins et les cigales craqueter...

1. Eh oui, les filles, il est nécessaire de toujours préchauffer son four. À 180° (thermostat 5), ce sera parfait pour réussir cette recette !

2. On épluche les gousses d'ail, on les coupe en deux pour retirer le germe vert à l'intérieur. On lave les feuilles de persil et on les hache finement avec l'ail (ça peut se faire au mixer, quand on a le bras dans le plâtre ou une grosse flemme !).

3. On place les tomates lavées et essuyées sur la planche à découper. On coupe chaque tomate en deux à l'horizontale : cela permet que les deux moitiés tiennent bien posées, l'une sur la base de la tomate, l'autre sur le haut, là d'où part la tige. On les place dans un plat qui va au four, la partie ouverte de la tomate vous regarde, à quelle sauce sera-t-elle mangée ?

4. On badigeonne les tomates d'huile d'olive, en utilisant un pinceau (la cuisine, c'est tout un art !), on sale, on poivre, puis on répartit sur le dessus des tomates l'ail et le persil hachés (sans aucun doute, vous êtes une artiste !). On dispose ensuite un peu de chapelure sur chaque tomate et on enfourne le plat.

5. On laisse cuire environ 35 minutes. On surveille en fin de cuisson : on essaie de piquer les dents d'une fourchette au centre d'une tomate, si la fourchette s'enfonce sans aucune difficulté, c'est que les tomates sont prêtes à être dévorées !

Embrassades

Ne préparez pas ce plat si vous devez retrouver votre amoureux : il risquerait de ne pas tellement apprécier ces baisers aillés !

6 personnes
10 minutes
De 35 à 40 minutes
Facile

Flammeküeche

Tout feu tout flammes

1. Une fois de plus, on n'oublie pas de préchauffer le four à 180° (thermostat 5).

2. Mais non, faire la cuisine n'est pas triste ! Préparer des oignons en toute sécurité sans utiliser un masque de plongée, c'est possible ! Tenez-vous debout, le plus loin possible des « ennemis ». Épluchez-les et émincez-les en fines lamelles sous un filet d'eau froide. Voilà, c'est prêt, et sans larmoyer !

3. On déroule la pâte (en la laissant sur son papier sulfurisé) et on la place dans un moule à tarte (diamètre 28 cm environ). On pique la pâte régulièrement avec les dents d'une fourchette. Aïe, aïe…

4. On étale la crème sur la pâte et on dispose de façon aléatoire les rondelles d'oignons émincées. On fait pareil avec les lardons. Un tour de moulin à poivre et hop ! au four.

5. Environ 40 minutes après, on sert chaud ou tiède avec une salade verte.
Vos frères et sœurs disent que c'est encore mieux que les repas de maman ? Félicitations !

Mlle Deumingôche

Mlle Deumingôche se dit que la flammeküeche est un plat alsacien, alors, pour le servir, elle met ses oreilles de Mickey sur la tête pour faire l'Alsacienne. Tout le monde la regarde avec des yeux ronds !

* 1 pâte brisée toute prête
* 125 g de lardons allumettes fumés
* 3 oignons ou 3 bonnes poignées d'oignons surgelés déjà émincés
* 20 cl de crème fraîche (éventuellement allégée)

Les ingrédients

* 400 g de riz thaï ou basmati
* 150 g de petits pois en conserve
* 150 g de maïs en conserve
* 100 g de dés de jambon
* 2 œufs
* 4 cuillères à soupe d'huile
* 2 cuillères à café de sauce de soja

Riz cuit

Pour la préparation de cette chinoiserie, oubliez tout ce que vous saviez de la cuisson du riz (vous n'en saviez rien, tant mieux !).

Riz cantonais

Plus on est de fous, moins il y a de riz !

1. Pour commencer, on verse le riz dans une grande casserole, puis on le rince en le couvrant abondamment d'eau, on remue et on jette l'eau (mais pas le riz…). On recommence l'opération jusqu'à ce que l'eau soit limpide. On recouvre alors le riz d'environ 1 cm d'eau et on ajoute l'huile, puis on met à cuire à feu moyen. Une fois l'ébullition commencée, on laisse cuire une vingtaine de minutes à feu doux. Lorsque le riz a absorbé toute l'eau et que les grains sont bien séparés, c'est prêt.

2. Pendant ce temps, on prépare une omelette à la chinoise. Pour cela, on bat joyeusement les œufs entiers dans un bol, puis on les verse dans une poêle antiadhésive. Avec souplesse et élégance, on répartit l'œuf de la même manière qu'une crêpe. On laisse ensuite cuire doucement sans y toucher, afin d'obtenir une fine galette d'œufs et non une omelette bien baveuse. On la coupe en petits morceaux.

3. On passe ensuite à l'étape la plus délicate : ouvrir les boîtes de petits pois et de maïs et jeter le jus. Pas de panique, les filles, c'est tout à fait dans vos cordes !

4. Enfin, on fait revenir tous les ingrédients (ils n'étaient pas partis très loin, me direz-vous…) à feu vif dans un peu d'huile, en commençant par le riz. Au bout de 2 minutes, on lui ajoute les petits pois, le maïs, les œufs, les dés de jambon, la sauce de soja et on laisse cuire à feu vif quelques minutes.

5. Servez aussitôt dans de petits bols et dégustez, avec des baguettes bien entendu !

Mlle Deumingôche

À peine a-t-elle fini de récupérer tous les grains de riz qu'elle a laissé s'échapper dans l'évier que Mlle Deumingôche se retrouve à quatre pattes dans la cuisine, à courir après petits pois et grains de maïs rebelles. Elle jure, mais un peu tard, que les chinoiseries, ce n'est définitivement pas sa tasse de thé (vert au jasmin…) !

8 personnes
10 minutes
environ 40 minutes
Fastoche

Gâteau au yaourt

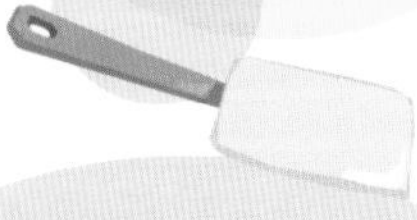

Supplément d'âme

Vous pouvez aromatiser votre gâteau en versant dans la pâte, avant la cuisson, l'un des ingrédients suivants : du chocolat fondu, du cacao, du sucre vanillé…
Il est également possible de mêler à la pâte, avant cuisson, des morceaux de fruits (pommes, poires, pêches au sirop…).
Vous pouvez aussi décorer votre gâteau une fois qu'il est cuit et refroidi (voir page 22).
Vous pouvez en faire des choses !

Mlle Deumingôche

Mlle Deumingôche regrette le temps où la maîtresse était derrière son dos pour lui expliquer la recette du gâteau au yaourt et l'empêcher de faire des erreurs. Maintenant, elle est toute seule et elle doit se débrouiller comme une grande. Bouh…

Comme à la maternelle !

1. Réussir cette recette est un jeu d'enfant ! Cette fois-ci, on allume le four à 180° (thermostat 5).

2. Dans un saladier, on verse le yaourt (surtout, ne jetez pas le pot, c'est lui qui va servir à mesurer les autres ingrédients !), on casse les œufs et on bat au fouet. Hop, hop, hop !

3. On ajoute les quatre pots de farine, on mélange. On ajoute les trois pots de sucre, on mélange. On ajoute le sachet de levure… on mélange. On ajoute les deux pots d'huile… allez, une dernière fois : on mélange !

4. On beurre un moule à gâteaux de 24 ou 26 cm de diamètre et on y verse la pâte.

5. On met au four pendant environ 40 minutes. On teste la cuisson en plantant un couteau dans le gâteau (on a bien dit dans le gâteau !) : si la lame ressort propre (sans pâte liquide dessus), le gâteau est cuit.

6. On peut démouler le gâteau tant qu'il est chaud (oh, qu'il est beau !) ou le servir dans son moule.

Maman sera contente que vous ayez pensé aussi au dessert.

Les pâtes

Des pâtes, des pâtes, oui et bon appétit (sur un air bien connu…)

● Fraîches mes pâtes, fraîches !

Les pâtes existent sous deux formes : les pâtes fraîches et les pâtes pas fraîches. Attention, les pâtes pas fraîches ne sont pas moisies ou vermoulues, elles sont juste sèches. Les pâtes fraîches s'achètent au rayon… frais. Bravo, les filles ! Et se conservent… au frais. Re-bravo ! Les pâtes pas fraîches s'achètent au rayon… pâtes. Bravo, les filles ! Et se conservent… avec les conserves. Re-bravo !

● Cuisson

Les pâtes fraîches cuisent plus vite que les pâtes sèches et, de toute façon, les pâtes cuisent le temps indiqué sur leur paquet ! On les met dans de l'eau bouillante (beaucoup d'eau !), on évite qu'elles n'attachent au fond, on attend le temps qu'ils disent sur le paquet, un peu moins si on les aime fermes (*al dente*, comme ils disent en Italie), un peu plus si on les aime fondantes, encore un peu plus si on aime la purée de pâtes ! On peut goûter pour voir, sans se brûler la langue pour autant. On les égoutte à la fin, au-dessus de l'évier de préférence !

● Des formes et des couleurs…

Les pâtes, il y en a pour tous les goûts et de toutes les couleurs : jaunes, rouges, vertes, spaghettis (longues et fines), tagliatelles (longues et plates), coquillettes (des petits c en forme de coquillages), macaronis (petits tubes droits), farfalles (nœuds papillons), torsades (tire-bouchons), tortellinis, cannellonis, raviolis (pâtes farcies)…

Quantité

Il faut compter environ de 80 à 100 g de pâtes par personne (c'est-à-dire que, pour deux personnes, on mettra un peu moins de la moitié d'un paquet de 500 g).

Recettes

Vous trouverez la recette des spaghettis à la bolognaise p. 70, celle des tagliatelles à la carbonara p. 54, celle de la salade de pâtes gorgonzola-jambon de Parme p. 26, celle des lasagnes p. 122. Et celle des nouilles chinoises p. 75. Avec ça, si vous ne devenez pas la reine des pâtes !

spaghetti
coquillettes
macaronis
tagliatelles

Super
baby-sitter

Ouin!
Ouin!

Soirée baby-sitting ! Vous voilà avec une, deux ou trois petites têtes blondes qui tambourinent avec leurs couverts sur leur assiette parce qu'ils ont faim. Pour faire taire leurs cris et leur estomac (qui lui aussi crie famine !), voici quelques recettes faciles à réaliser pour faire plaisir aux garnements et devenir leur baby-sitter préférée !

4 personnes
10 minutes
15 minutes
Facile

Spaghettis
à la bolognaise

Mamma mia…

Mlle Deumingôche

Mlle Deumingôche prend une tagliatelle par un bout et l'aspire bruyamment… Ben quoi, tout le monde a apprécié la scène des spaghettis à la bolognaise dans *La Belle et le Clochard*, non ?

1. D'abord, on fait la peau aux oignons. On les épluche et on les coupe en lamelles. Un conseil : pour ne pas pleurer des larmes de crocodile en les éminçant, fermez les yeux… Heu non, vous risqueriez de vous couper un bout de doigt… Oubliez ce conseil et pleurez, ça nettoie les yeux et ça donne un beau regard brillant ! Après avoir fait chauffer l'huile d'olive dans une poêle, on fait revenir les oignons à feu moyen. Une fois qu'ils sont fondants et dorés, on augmente le feu et on émiette la viande hachée dans la poêle.

2. Une fois la viande bien dorée elle aussi, on sale, on poivre et on ajoute la pulpe de tomate. On remue et on laisse mijoter à feu doux jusqu'à ce que la sauce épaississe un peu.

3. Tandis que tomate, viande et oignons conversent tranquillement, on remplit une grande casserole d'eau salée et on fait bouillir. Lorsque l'eau bout, on n'y jette pas le petit dernier qui pleurniche « j'ai faim » depuis maintenant dix minutes (on garde son calme, les filles !) mais les spaghettis, qu'on laisse cuire le temps indiqué sur le paquet. Ils sont cuits ? *Al dente* ? On ôte la casserole du feu et on les verse dans une grande passoire au-dessus de l'évier pour les égoutter. Veillez à ne pas vous ébouillanter, vous ou les enfants !

4. On dispose les spaghettis dans un grand plat, on y verse doucement la sauce bolognaise, on décore de parmesan râpé, et à table ! Ah oui, une dernière chose : on n'apprend pas aux enfants à faire ressortir les spaghettis par le nez !

Comme là-bas

En Italie, les spaghettis ne se coupent pas avec le couteau, on n'utilise pas une cuillère, mais on les enroule très soigneusement autour de la fourchette, histoire de ne pas se faire des balafres de sauce tomate en travers de la figure. Essayez, ce n'est pas très compliqué ! Mais gare aux taches sur le beau chemisier blanc et sur les pyjamas propres des enfants !

Les ingrédients

* 1 pâte à pizza toute prête (ça se trouve au rayon frais des grandes surfaces. Si vous voulez la faire vous-même, voir recette p. 84.)
* 1 petite boîte de pulpe de tomate
* 125 à 150 g de mozzarella (à défaut, utilisez du gruyère râpé)
* Huile d'olive
* 1 pincée d'origan

Garniture au choix :

* Jambon, champignons, olives, oignons, bonbons, légumes grillés (aubergines, courgettes, poivrons, existent en surgelé), merguez, cirage, thon, fromages (chèvre, roquefort, reblochon...), dentifrice, viande hachée... Trois erreurs se sont glissées dans cette liste d'ingrédients succulents. À vous de trouver lesquelles...

Pizza

4 personnes
15 minutes
De 20 à 25 minutes
Fastoche

Comme au resto, et sans avoir à attendre le livreur en Mobylette...

1. On préchauffe le four à 220° (thermostat 6).

2. On déroule la pâte sur la plaque du four (que vous avez sortie avant d'allumer le four, évidemment !) en laissant le papier sulfurisé dessous.

3. Avec le dos d'une cuillère à soupe, on étale une fine couche de pulpe de tomate sur toute la surface de la pâte, jusqu'à environ un centimètre du bord.

4. On prépare sur une planche ou dans une assiette les victimes de son choix : pas de quartier pour le fromage et le jambon qu'on découpe en lamelles, haro sur la viande hachée et sur les légumes grillés (revenus dans une poêle au préalable), sus aux champignons (qu'on pense à égoutter et à rincer s'il s'agit d'une boîte de conserve, sinon, adieu pizza croustillante et bienvenue mélasse !).

5. On dispose les garnitures sur la pâte.

6. On tranche la mozzarella en petites lanières et on les répartit sur toute la surface de la pizza ou on parsème de gruyère râpé. On ajoute un peu d'origan et on arrose d'un filet d'huile d'olive.

7. On enfourne la plaque et on laisse cuire une vingtaine de minutes. Surveillez bien (en même temps que les enfants qui, en général, en profitent pour faire des bêtises) : quand le fromage est bien fondu et qu'il « crépite », on sort la pizza du four.

8. On laisse refroidir 5 minutes avant de servir.

Mlle Deumingôche

Mlle Deumingôche,
pour faire plaisir aux enfants
qu'elle garde, leur demande
ce qu'ils veulent sur leur pizza.
Du coup, elle se retrouve avec une pizza
au chèvre et au chocolat :
les enfants adorent,
elle a des haut-le-cœur !

73

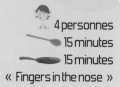
Hamburger

Made in America

Les ingrédients

* 4 steaks hachés
* 4 pains ronds
spécial hamburger
* 4 tranches de fromage
spécial hamburger
* 2 feuilles de salade lavées,
séchées et coupées
en fines lamelles
* 1 ou 2 tomates coupées
en fines rondelles, mais sans
garder le pédoncule
(vous savez, l'espèce de
trognon qui ne se mange pas !)
* Sauce tomate
* Moutarde
* Huile
* Sel

1. OK girls, let's go ! Dans une poêle, on fait chauffer de l'huile à feu vif. Quand elle est bien chaude, on put the steaks inside et on les fait dorer 2 à 3 minutes de chaque côté.

2. On cut les pains en deux et on les fait dorer au grille-pain ou au four (sur position gril).

3. En fin de cuisson des steaks, salt them et disposez sur chacun une tranche of cheese. On pose un couvercle sur la poêle et on laisse cuire à feu moyen 30 secondes.

4. À l'intérieur de chaque pain, on met un peu de sauce tomate (on évite d'en faire gicler sur son beau chemisier blanc), un peu de moutarde (attention qu'elle ne vous monte pas au nez), de la tomate, de la salade, le steak recouvert de fromage et on referme.

5. Enjoy your meal, children and girls !

Frites

Avec des frites (surgelées à faire cuire au four), c'est encore meilleur, les enfants se croiront vraiment au fast-food !

Nouilles chinoises
sautées au poulet

4 personnes
10 minutes
De 15 à 20 minutes
Facile

Au Lotus bleu

1. Sus au poulet : on le coupe en petits morceaux.

2. On épluche les oignons, on coupe les poivrons en deux, on enlève les pépins et la partie blanche, mais non les filles, il ne reste pas que la peau. On les coupe en lamelles, les carottes en rondelles.

3. On verse une cuillère à soupe d'huile dans une grande poêle sur feu moyen.

4. On y jette le poulet et les légumes, qu'ils s'y dorent la pilule 15 minutes. On rehausse leur bronzage avec deux cuillères à soupe de sauce de soja et on remue régulièrement.

5. Pendant ce temps, on remplit une casserole d'eau salée et on fait bouillir. Quand l'eau bout, on y plonge les nouilles. On arrête le feu et on met un couvercle sur la casserole. Environ 5 minutes plus tard, c'est cuit. On égoutte les nouilles dans une passoire.

6. Un bref retour dans la poêle pour tout le monde, poulet, légumes et nouilles.

7. On sert le plat joliment décoré de quelques feuilles de coriandre.

Les ingrédients

* 1 paquet de nouilles chinoises
* 3 filets de blanc de poulet (ou de dinde) sous vide, au rayon frais des grandes surfaces
* Sauce de soja
* Huile
* 3 ou 4 feuilles de coriandre
* Légumes émincés (c'est-à-dire coupés en fines lamelles) que vous pouvez trouver tout prêts en surgelés : oignons, poivrons, carottes…

Chine vs Italie

Eh oui ! Il n'y a pas qu'en Italie qu'on fait de bonnes pâtes !

4 personnes petits et grands
10 minutes
La pâte doit reposer
au moins 1 heure
De 2 à 3 minutes
par crêpe
Facile

Crêpes gourmandes

Une crêpe, et que ça saute !

Mlle Deumingôche

Mlle Deumingôche a vu sa mère faire sauter les crêpes dans la poêle quand elle était petite et a décidé de faire de même. Le problème, c'est que la première crêpe a sauté si haut qu'elle s'est collée au plafond, la deuxième a atterri sur la tête d'un bambin qu'elle gardait, la troisième est retombée direct sur le feu et a carbonisé immédiatement !

1. Versez la farine dans un saladier. Comme vous êtes une baby-sitter en or, vous autorisez le petit dernier à creuser un trou, au centre, comme un puits. Dans ce puits, vous versez : les œufs (sans leur coquille), l'huile, le sel et un peu de lait.

2. Avec un fouet, on remue énergiquement les ingrédients qui se trouvent au centre (pensez à bien tenir le bord du saladier de votre main libre !). On incorpore peu à peu la farine et on verse en même temps le lait, petit à petit, à mesure que le mélange épaissit. Gare à la pâte trop liquide ! Vous n'aurez peut-être pas besoin de mettre tout le lait !

3. Vous pouvez parfumer la pâte à crêpes selon votre goût avec un peu de sucre vanillé, de citron ou de fleur d'oranger.

4. Après tous ces efforts, on laisse la pâte reposer au réfrigérateur pendant 1 heure au moins. Oui, on sait que c'est dur, tenez bon !

5. On remue la pâte lorsqu'on la sort du réfrigérateur. Si elle a trop épaissi, on ajoute un peu de lait.

6. On met dans une poêle un peu d'huile ou de beurre, on fait chauffer et on verse une demi-louche environ de pâte à crêpes. On incline légèrement la poêle pour répartir la pâte.

7. Quand la première face est dorée, on retourne la crêpe à l'aide d'une spatule en bois. On laisse cuire 1 minute environ. La première est toujours ratée, pas de panique ! Partagez les morceaux avec les enfants et hop ! la suivante sera parfaite.

8. On sert aussitôt sur une table chargée de mille et une douceurs : sucre, pâte à tartiner, confiture, miel, chocolat fondu, sirop d'érable, banane, compote, fraises… Et on déguste avec les doigts !

Les ingrédients

* 250 g de farine
* 1/2 litre de lait
* 2 œufs
* 1 cuillère à soupe d'huile de tournesol
* 1 pincée de sel
* Du sucre vanillé, du citron, de la fleur d'oranger

Toilette de chat

N'oubliez tout de même pas de laver les mimines poisseuses des enfants avant que les parents rentrent, ce sera mieux !

Pour 20 cookies de taille moyenne :
* 200 g de chocolat noir
* 100 g de noix ou de noisettes,
ou de raisins
* 120 g de sucre blanc
* 100 g de sucre roux
* 125 g de beurre mou (c'est sûr que
si vous le laissez dans le réfrigérateur…)
* 230 g de farine
* 1 cuillère à café de levure chimique
* 1 cuillère à café de vanille liquide
* 1 œuf
* 1 pincée de sel

Pause gourmande

Voilà des petits gâteaux que les
petits monstres que vous gardez
apprécieront certainement devant
leur dessin animé préféré !

Cookies
au chocolat

**Des cookies encore tièdes,
à peine sortis du four, qui n'en a pas rêvé...**

1. On préchauffe le four à 140° (thermostat 4).

2. Dans un saladier, on bat avec un fouet le beurre bien ramolli et le sucre. Fouette cocher !

3. On ajoute l'œuf, la vanille et on mélange bien jusqu'à obtenir une crème.

4. On ajoute alors la levure, la farine et le sel et on mélange jusqu'à l'obtention d'une pâte homogène.

5. On râpe le chocolat noir (non, on ne le mange pas tout de suite) et on l'incorpore à la pâte, ainsi que les noix, les noisettes et/ou les raisins. C'est vous qui choisissez ! On obtient ainsi une pâte très épaisse qui colle à la cuillère.

6. On beurre la plaque du four et on pose dessus des petits tas de pâte (environ une demi-cuillère à soupe). On les espace bien car, à la cuisson, le cookie s'étale...

7. On laisse cuire les biscuits pendant 10 minutes. Si vous aimez les cookies moelleux au cœur tendre, surveillez leur cuisson et sortez-les du four lorsque le milieu du cookie est encore marron clair.

8. On sert les cookies tout chauds et, pour les conserver (s'il en reste !), une boîte en fer avec couvercle fera l'affaire !

Mlle Deumingôche

Mlle Deumingôche a acheté un paquet de cookies et l'a mis direct au four pour les réchauffer un peu. Malheureusement, le paquet en carton a pris feu et le four avec...

Milk-shake à la fraise

À secouer avec modération !

1. On place dans le mixer la glace à la fraise et le lait, et on mixe.

2. On ouvre le mixer : on rectifie la consistance (si c'est trop liquide, on ajoute de la glace ; si c'est trop épais, on ajoute du lait) et le goût (si vous aimez avoir un goût de fraise intense, vous pouvez ajouter du sirop de fraise). On mixe de nouveau si nécessaire.

3. Servez à vos petites têtes blondes dans un grand verre avec une paille en leur rappelant qu'on ne fait pas de bulles dans son verre en soufflant avec sa paille. Non mais !

Mlle Deumingôche

Mlle Deumingôche a oublié de placer le couvercle sur le mixer avant de le mettre en marche. Du coup, elle a repeint les murs de la cuisine en rouge, et la mère de famille, d'ailleurs, en entrant dans la cuisine, a vu rouge elle aussi !

Des goûts et des couleurs

Vous pouvez varier les goûts en changeant le parfum de la glace : chocolat, vanille, banane... Toutes les expériences sont permises !

80

Pour 1 milk-shake :
* 2 grosses boules de glace ou de
sorbet à la fraise
* 20 cl de lait demi-écrémé
* Sirop de fraise
* Une paille (car un milk-shake
sans paille n'est pas
un vrai milk-shake !)

Expériences culinaires

Osez aussi l'association du
coulis de fruits (fraises, framboises,
myrtilles se trouvent en surgelés)
et de la glace à la vanille.
À vous les mélanges
et les saveurs insoupçonnés !

* 200 g de chocolat noir
* 5 œufs
* 1 pincée de sel
ou jus de citron

Un peu
d'exotisme !

Pour une mousse au chocolat
des îles, ajoutez de la noix
de coco râpée !

Mousse au chocolat

6 personnes
20 minutes
2 à 3 heures au réfrigérateur
Assez facile

Un petit dessert pour moussaillons en culottes courtes

1. On casse le chocolat en petits morceaux dans un récipient qui va au micro-ondes. On ajoute un peu d'eau et on fait fondre le chocolat (1 minute). Ou 5 minutes dans une casserole si vous aimez prendre votre temps ! On remue avec une cuillère en bois jusqu'à ce qu'il soit bien lisse.

2. On sépare les blancs des jaunes d'œufs. On verse le chocolat fondu sur les jaunes et on remue bien vite pour que les jaunes ne cuisent pas ! C'est sûr, c'est bien appétissant, mais on ne trempe pas son doigt ! Allez, juste pour goûter, alors !

3. Pendant ce temps, on ajoute la pincée de sel aux blancs (ou quelques gouttes de jus de citron, ça marche encore mieux !) et on les bat en neige jusqu'à ce qu'ils soient bien fermes, avec un fouet ou avec un batteur.

4. On incorpore petit à petit les blancs au chocolat fondu et avec un fouet, pour ne pas les « casser » ni les écraser (sinon, vous pouvez dire adieu à vot'mousse), on les mêle très délicatement au mélange avec un geste rond, qui enrobe…

Mlle Deumingôche

Mlle Deumingôche n'a pas réussi à monter les blancs en neige, alors, pour que sa mousse au chocolat mousse, elle a ajouté, devinez quoi ? Du liquide vaisselle, pardi !

5. On met au réfrigérateur au moins 2 à 3 heures pour que la mousse ait une consistance bien ferme.

6. Et voilà un délicieux dessert, ou goûter… Ou petit déjeuner, si vos moussaillons en ont laissé !

Pâte à pizza

Devenez une vraie pizzaiola !

Les ingrédients

Pour une pizza :

* 250 g de farine
* 10 g de levure de boulanger
* 4 cuillères à soupe d'huile d'olive
* 1/2 verre d'eau tiède environ
* 1 pincée de sel

Mlle Deumingôche

Mlle Deumingôche ne fait pas de la pâte à pizza mais des pâtes à la pizza ! Après avoir fait cuire ses spaghettis, elle met des morceaux de pizza surgelée dessus. C'est très léger et très digeste !

1. On verse la farine dans un saladier et on la creuse pour former un puits au milieu, comme quand on était petite avec sa purée. On dissout la levure dans le verre d'eau tiède et on verse le mélange dans le puits avec une pincée de sel.

2. On ajoute progressivement l'huile d'olive et un peu d'eau tout en triturant (pardon, en liant) la pâte avec les mains, jusqu'à ce qu'elle soit souple. Le tout avec des gestes amples en chantant *O sole mio* !

3. On fait une boule avec la pâte, on la saupoudre de farine et on la recouvre d'un torchon humide. Abracadabra, trois heures après, la pâte à pizza a levé !

4. Ensuite, on transforme cette boule en disque étalé. Abricadabri, sur un plan de travail enfariné, on étale la pâte avec les mains puis au rouleau, pour en faire un rond bien régulier !

5. Pour garnir votre pâte à pizza, vous trouverez vos idées p. 72 !

Ça plane pour moi !

Vous pouvez pousser le zèle jusqu'à faire tourner la pâte à pizza dans les airs, comme le font les pizzaiolos. Attention tout de même à ce que la soucoupe volante ne parte pas en orbite sur la hotte de la cuisine !

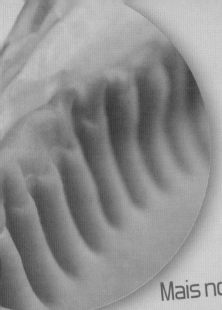

Pâte
brisée

4 personnes
15 minutes
Facile

Mais non, ça ne vous brisera pas le cœur !

1. Dans un saladier, on mélange la farine, le beurre (coupé en morceaux) avec les doigts (propres) en malaxant et en frottant les ingrédients entre ses mains pour obtenir une matière sableuse entre ses doigts (même si ce n'est pas pour de la pâte sablée !).

2. Ensuite, on fait un puits au milieu du saladier (comme avec la purée pour faire un volcan avec la sauce !) et on y met l'eau (normal, dans un puits !) et le sel. Et on remalaxe !

3. On fait une boule avec la pâte, pas pour jouer avec, mais pour la laisser se reposer pendant 30 minutes, le temps d'un coup de fil à Stéphanie (et pia pia pia, et pia pia pia, mais pas trop quand même !).

4. On met enfin de la farine sur le plan de travail (pour que la pâte ne colle pas dessus !) et on y étale la pâte avec un rouleau à pâtisserie.

Les ingrédients

Pour une tarte :

* 250 g de farine
* 125 g de beurre mou
* 10 cl d'eau
* 1 pincée de sel

Mlle Deumingôche

Mlle Deumingôche fait de la pâte brisée avec son marteau : elle brise le paquet de farine, le beurrier, la carafe d'eau, le saladier à grands coups de massue, et boum, et boum. À défaut de faire quelque chose de comestible, ça défoule !

À votre imagination !

Votre pâte est prête, vous pouvez maintenant mettre ce que vous voulez dessus pour faire une tarte sucrée ou salée (voir recettes pp. 60, 94, 114, 124).

85

J'apporte un truc

Votre copine Stéphanie vous demande d'apporter quelque chose à manger : elle organise une fête pour son anniversaire et elle a invité le bel Édouard, le garçon pour lequel votre cœur tressaille. Votre but : lui faire une telle impression qu'après ça toutes les autres filles seront pour lui des fantômes. Petite robe parfaite et maquillage qui raviront ses yeux d'abord, mais aussi petit plat délicieux qui ravira ses papilles. Voici donc quelques recettes de mets à apporter à une soirée pour frapper un grand coup !

Pruneaux au lard

C'est de l'art ou du cochon ?

Les ingrédients

Pour 20 pruneaux au lard :
* 20 pruneaux, forcément
* 10 tranches de poitrine de porc fumée
* 20 cure-dents (pas pour les vôtres !)
* 1 cuillère à soupe d'huile d'olive

Mlle Deumingôche

Mlle Deumingôche ne fait pas la différence entre des tranches de lard et des lardons. Comme elle est appliquée, elle a donc coupé ses lardons bien consciencieusement dans le sens de la longueur mais, pour entourer le pruneau avec ces tout petits morceaux, elle a eu du mal. Alors, elle a fait des brochettes avec un gros pruneau et un tout petit lardon derrière ! Ça a le même goût, après tout !

1. On coupe chaque tranche de poitrine fumée en deux, dans le sens de la longueur.

2. On dénoyaute les pruneaux en prenant soin de ne pas en faire de la charpie (ah, vous et votre délicatesse légendaire !).

3. Comme vous êtes très manuelle, vous prenez un grand plaisir à enrouler autour de chaque pruneau un morceau de poitrine fumée – comme un petit cache-nez – et paf ! on embroche la bestiole avec un cure-dents pour faire tenir pruneau et poitrine fumée ensemble.

4. On glisse au réfrigérateur et on laisse rafraîchir.

5. À feu vif, on fait chauffer l'huile d'olive dans une poêle et on y passe les pruneaux.

6. Un peu de papier absorbant pour éviter des pruneaux trop gras, un petit tour dans le micro-ondes où a lieu la fête pour les réchauffer, et tout le monde se ruera sur vos mini-brochettes !

Post-scriptum

On peut aussi les faire dorer au four !

Cake
aux olives

Ah, cake c'est bon !

1. Une fois le four allumé à 180° (thermostat 5), on découpe le jambon en petits carrés (les artistes préféreront faire des ronds… à leur guise !).

2. On égoutte les olives, on les rince et on recommence encore une fois.

3. On beurre un moule à cake (c'est un moule rectangulaire, tout en longueur).

4. Dans un saladier, on verse la farine et la levure, le verre de vin. On ajoute l'huile, puis les œufs et le sel. On bat le tout.

5. On prend en traître jambon, olives et gruyère râpé en les jetant dans le mélange précédent, et on mélange bien.

6. On verse le mélange dans le moule à cake et on met au four.

7. On laisse cuire de 30 à 45 minutes (on surveille en fin de cuisson, en plantant délicatement un couteau dedans ou en regardant la couleur du cake, il doit dorer mais pas devenir tout noir !).

8. On sort le cake du four, on enfile sa petite robe, et on l'emporte encore chaud à la soirée (si la séance d'habillage a un peu duré, on le remet quelques minutes au four sur place, et le tour est joué !).

Les ingrédients

* 1 verre de vin blanc sec (on évite de le siffler : c'est pour le cake !)
* 1 verre d'huile d'olive
* 4 œufs
* 1 cuillère à café de sel
* 250 g de farine
* 1 sachet de levure chimique
* 150 g de jambon
* 200 g d'olives vertes sans noyaux
* 100 g de gruyère râpé
* Beurre pour le moule

Mlle Deumingôche

Mlle Deumingôche a acheté un cake tout fait, un quatre-quarts, et elle a enfoncé des olives dedans avec le pouce, comme si elle plantait des graines dans la terre. Mais rien n'a poussé !

4 personnes
40 minutes
Laissez reposer 3 heures
avant de déguster
Facile

Taboulé

C'est bon comme là-bas !

1. Les tomates : à la douche ! Lorsqu'elles brillent comme un sou neuf, on les coupe en petits dés. Le concombre : on l'épluche et on le coupe. On verse tomates et concombre avec leur jus dans un grand saladier.

2. On ouvre les poivrons en deux, on enlève les pépins et la partie blanche, on les lave, puis on coupe la chair en tout petits dés. On ajoute aux ingrédients précédents.

3. Les oignons blancs : on leur fait la peau en les épluchant, puis clac, clac, on les coupe en petits morceaux. On ajoute.

4. Avant de vous enivrer de la délicieuse odeur poivrée de vos feuilles de menthe, on les détache de leur tige (on choisit les plus belles, *of course*) et on les hache finement. Pareil pour le persil. On ajoute.

5. On verse dans le saladier l'huile d'olive et le jus des citrons. On ajoute un tour de moulin à poivre et une cuillère à café de sel.

6. On verse la semoule dans le saladier, on remue délicatement avec une fourchette pour ne pas transformer les ingrédients en bouillie. On couvre le saladier et on le glisse au réfrigérateur pendant quelques heures pour que la semoule gonfle et s'imprègne bien des saveurs. C'est juste le temps qu'il faut pour se préparer et se faire belle pour aller danser !

Les ingrédients

* 300 g de semoule de blé
moyenne pour couscous
* 500 g de tomates bien mûres
* 2 oignons blancs
* 1 concombre
* 1 gros poivron rouge
* 1 gros poivron vert
* Quelques feuilles de persil
* 1 bouquet de menthe fraîche
* Le jus de 3 citrons
* 6 cuillères à soupe d'huile d'olive
* Sel, poivre

Fraîches, mes truffes !

Les truffes se conservent quelques jours au réfrigérateur, mais pensez à les sortir un peu avant de les servir, elles seront meilleures pas trop glacées !

Truffes

4 personnes

20 minutes

Repose au réfrigérateur au moins 1 heure

Assez fastoche

Pour Noël ou pour se faire plaisir… tous les jours de l'année !

1. On casse le chocolat et on coupe le beurre en petits morceaux dans un récipient qui va au micro-ondes. On ajoute un peu d'eau et on fait fondre le tout (1 minute au micro-ondes !). On remue avec une cuillère en bois jusqu'à ce que le mélange soit bien lisse.

2. On ajoute les jaunes d'œufs, le sucre vanillé et le sucre glace, en mélangeant bien.

3. On fait reposer la pâte au réfrigérateur pendant 1 heure au minimum. Patience, patience…

4. On se lave bien les mains pour faire de petites boules dans le creux des paumes avec la pâte. On saupoudre une assiette de cacao et on les roule dedans : profitez-en, ça va vous rappeler la maternelle ; vous pouvez même faire des blagues caca-boudin !

5. On dispose les truffes sur un plat et on frime à la soirée en disant : « C'est moi qui l'ai fait ! »

Mlle Deumingôche

Mlle Deumingôche s'est dit qu'elle allait acheter les truffes toutes faites, parce que les dégâts dans la cuisine, ça suffit comme ça ! Chez le marchand, elle en a eu pour 150 euros et elle a eu seulement une toute petite truffe pour ce prix-là ! Et encore, toute couverte de terre !

6 personnes
20 minutes
35 à 40 minutes
Facile

Gâteau aux abricots caramélisés

Gâteau anti-régime !

1. On préchauffe le four à 180° (thermostat 5). On verse dans un saladier les œufs, les 100 g de sucre et le sucre vanillé : on maintient le plat d'une main et on fouette de l'autre jusqu'à obtenir un mélange bien mousseux. On ajoute le beurre ramolli, la farine, la Maïzena, la levure et le sel. On s'arrête de battre quand la pâte est bien lisse. Pas avant !

2. On éparpille dans un moule les 15 morceaux de sucre avec deux à trois cuillères à soupe d'eau et le jus de citron. On dépose le moule dans le four chaud et on surveille régulièrement jusqu'à ce que le sucre soit fondu, fasse des bulles et se colore légèrement (c'est-à-dire que le sucre vire au brun, pas au noir charbon !).

3. On sort le moule du four : « Oooh, il y a un début de caramel dans le fond du moule ! » Allez ! Allez ! La pâtisserie n'attend pas. On répartit sur ce début de caramel les abricots coupés en deux (lavés et dénoyautés au préalable, si ce sont des abricots frais), puis on les saupoudre de la cuillère à soupe de sucre.

4. On verse la pâte sur les abricots et hop ! tout ce petit monde au four.

5. Lorsque le gâteau est cuit, on le sort du four et on le démoule tant qu'il est chaud. S'il résiste, on passe une éponge d'eau très chaude sur le fond du moule, à l'extérieur bien sûr ! Les abricots, qui ont bien caramélisé pendant la cuisson, se retrouvent sur le dessus du gâteau. Magique !

Attention !

Prévenez vos copines qui s'approchent du buffet que ce n'est pas un gâteau de régime. Avec tout le sucre qu'il y a dedans, ce serait étonnant !

94

* 15 morceaux de sucre (si, si, c'est indispensable !) pour le caramel
* Quelques gouttes de jus de citron
* 500 g d'abricots frais pendant la saison ou au sirop le reste du temps
* 100 g de sucre en poudre + 1 cuillère à soupe de sucre
* 1 sachet de sucre vanillé
* 75 g de farine
* 60 g de Maïzena
* 1 cuillère à café de levure chimique
* 125 g de beurre ramolli (pensez à le sortir du réfrigérateur une petite demi-heure avant de vous lancer dans la recette !)
* 2 œufs
* 1 pincée de sel

Soirée pyjama !

Vos copines ont enfilé leur plus beau pyjama en pilou. Elles se lancent dans d'improbables chorégraphies avec la musique à fond (enfin...) et font des batailles de polochons. Mais bientôt l'heure des cancans a sonné et elles bavardent. Comment leur donner des forces pour qu'elles puissent continuer à discuter jusqu'au bout de la nuit ? Voici quelques petites recettes pour vous donner quelques idées...

Soirée pyjama !

2 personnes
5 minutes
5 minutes
Très facile

Toasts
au chèvre chaud
et autres tartines chaudes

Chèvre chaud devant !

1. Le four doit être bien chaud (pré-chauffage 220° ou thermostat 7) pour accueillir un peu plus tard vos tartines garnies.

2. Ensuite, on passe à la garniture. Primo, les tomates (rouges, les tomates !) : on les coupe en rondelles et on les dispose sur les tranches de pain. Avouez, là, c'est pas sorcier…

3. On fait la même chose avec le fromage de chèvre qu'on dispose en petites rondelles sur les tomates. Vous suivez toujours ? Bon.

4. On parsème les tartines de poudre de perlimpinpin et autres petites herbes de Provence, puis on arrose de l'in-dis-pen-sa-ble petit filet d'huile d'olive !

5. On place les tartines dans un plat spécial four (Pyrex, céramique, ne vous trompez pas, hein ?) et on les engouffre dans le four bien chaud. On jette régulièrement des petits coups d'œil, et, dès que le fromage « crépite », vite, on dégaine les maniques et on ôte le plat du four.

6. Servez triomphalement en disant : « C'est moaaaa qui l'ai fait ! » Succès garanti devant vos copines ébahies, les chaussons sous la table !

7. Bien sûr, si le cœur et l'appétit vous en disent, vous pouvez expérimenter d'autres mélanges. Allez, on vous en souffle deux : jambon cru/fromage à raclette, ou le basique tomate-œuf-emmental, c'est pas mal non plus !

* 4 belles tranches pas trop
épaisses de pain (campagne,
complet, aux noix…)
* 1 bûche de fromage de chèvre
* 3 tomates mûres
* 1 ou 2 cuillère(s) à soupe
d'huile d'olive
* Herbes de Provence
* Poivre

Tomates
mozzarella

Blanc sur rouge, rien ne bouge !
Rouge sur blanc, tout fout le camp !

Les ingrédients
* 4 belles tomates bien rouges,
bien mûres, bien parfumées
* 250 à 300 g de mozzarella
(fromage italien)
* Basilic
* 4 cuillères à soupe
d'huile d'olive
* 1 cuillère à café de jus de citron
* 1 cuillère à café
de vinaigre balsamique
* Sel, poivre

1. Pour préparer des tomates-moza (dites : « tomates-moza », plus chic que « tomates-mozzarella »), il faut des tomates. Lavez-les et coupez-les en fines rondelles.

2. Pour préparer des tomates-moza, il faut, toujours comme son nom l'indique, de la mozzarella. Coupez-la en fines rondelles.

3. Ensuite, tout est dans la présentation ! Dans une assiette, on alterne rondelle de tomate, rondelle de moza. Rondelle de tomate, rondelle de moza, rondelle de... Bon, bon, vous avez compris le principe !

4. Passez à la vinaigrette : on mélange dans un bol, le jus de citron, le vinaigre (balsamique, c'est meilleur), une pincée de sel et du poivre. On ajoute l'huile d'olive. Et pour que le tableau soit parfait, on jette une pluie de petites feuilles de basilic.

5. Et voilà, il ne vous reste plus qu'à répartir la sauce dans chacune des assiettes et à apporter votre œuvre, en rougissant de plaisir (et de modestie), à vos copines affamées.

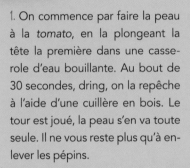

Guacamole

Une entrée ensoleillée, OLÉ !

1. On commence par faire la peau à la *tomato*, en la plongeant la tête la première dans une casserole d'eau bouillante. Au bout de 30 secondes, dring, on la repêche à l'aide d'une cuillère en bois. Le tour est joué, la peau s'en va toute seule. Il ne vous reste plus qu'à enlever les pépins.

2. Au risque de transformer votre œil de biche tendance Néfertiti en œil au beurre noir tendance raton laveur, épluchez l'oignon et découpez-le (snif) en tout petits morceaux (snif).

3. On s'attaque ensuite aux avocats : on les coupe en deux, on leur ôte noyau et peau.

4. On coupe quelques feuilles de coriandre (si vous trouvez que,

beurk, cette herbe a un goût de savon, remplacez-la par du persil).

5. On met en vrac dans un mixer : tomate, avocats, oignon, jus de citron, coriandre, sel, poivre et piment (mollo, mollo sur le piment, hein !). On mixe doucement jusqu'à obtenir une belle purée de couleur verte.

6. On met la mixture dans un joli bol et on le place au réfrigérateur.

7. On sert le guacamole avec des tortillas (chips de maïs de forme triangulaire). La fiesta (pyjama) peut commencer !

Les ingrédients
* 2 avocats bien mûrs
* 1 belle tomate mûre et parfumée
* 1 oignon
* 2 cuillères à café de jus de citron
* Piment en poudre ou Tabasco
* Coriandre
* 1 cuillère à café de sel
* 1 cuillère à café de poivre
* Tortillas

Les ingrédients

Pour chaque personne :
* 1 ou 2 galettes de sarrasin
toutes prêtes
* Un peu de beurre
Chacune agrémente ensuite
sa galette à son goût :
* Du gruyère râpé
* 1 œuf par galette
* Du jambon
* De fines tranches de tomate
* Du fromage de chèvre coupé
en fines tranches
* Sel, poivre

Galettes au sarrasin

« Et une complète pour la 5, une ! »

1. Petit conseil préliminaire : on prépare les ingrédients à côté des plaques (on a bien dit à côté, pas dessus !) pour réagir vite quand la galette sera en train de frétiller dans la poêle et pour ne pas avoir à faire 20 allers-retours vers le réfrigérateur.

2. On se munit d'une poêle assez grande et on fait fondre à feu piano, piano une petite noix de beurre.

3. Lorsque la poêle est chaude, on y met une galette toute faite. On la fait chauffer de 20 à 30 secondes, puis on la retourne.

4. Là, il faut être rapide : d'une main, on répartit le gruyère râpé, éventuellement d'autres fromages (ça fera une galette deux, trois, quatre fromages !), on sale, on poivre. On met ensuite le reste de la garniture, tomate, jambon, et on laisse cuire quelques secondes. De l'autre main, on casse un œuf au centre de la galette, par-dessus tout ce petit monde.

5. Lorsque c'est cuit, on replie la galette en deux ou en quatre, et on la sert toujours très vite. Chouette, votre complète, non ? Vos copines se croiront au restaurant !

Mlle Deumingôche

Mlle Deumingôche veut, elle aussi, préparer une galette complète. Alors elle se dirige goulûment vers le frigo et le vide consciencieusement. Voilà qu'elle assaisonne sa galette de tout ce qui lui tombe sous la main : six œufs, un pot de crème fraîche, du saumon, du thon, des lardons, de la vache qui rigole : « Et voilà, ma galette est super-complète ! » Elle ne sait pas encore qu'elle finira sa semaine à la diète complète !

8 personnes
15 minutes
Au moins 4 heures
au réfrigérateur
Facile

Tiramisu

Tirami-souriez, vous êtes filmée !

Mlle Deumingôche

Mlle Deumingôche n'arrive jamais à séparer les blancs des jaunes. Elle obtient toujours une sorte de pipi de chat mi-jaune mi-blanc qui ne ressemble à rien. Heureusement, Mlle Deumingôche a trouvé une excuse imparable : dès qu'on lui demande de casser un œuf et de séparer le blanc du jaune, elle fond illico en larmes en pensant aux pauvres petits poussins...Ouin...

1. D'abord les œufs. On les casse sans états d'âme et on sépare les blancs des jaunes, même si ça les rend tristes !

2. Dans un saladier, on met ensuite les jaunes, le sucre et le sucre vanillé. On mélange le tout en fouettant bien et on ajoute le mascarpone en remuant avec un peu plus de vigueur, une, deux, une, deux !

3. Les blancs maintenant : s'ils croyaient en réchapper, c'est raté ! On ajoute une pincée de sel et vroum, un petit coup de batteur. Vos blancs doivent se transformer en gros nuage de coton immaculé.

4. On use ensuite de sa patte de velours pour incorporer en douceur les blancs au mélange jaunes d'œufs-sucre-mascarpone.

5. On imbibe les biscuits de café (passé à la cafetière, quand même !) et on en tapisse le fond du moule à gâteau. On alterne ensuite une couche du mélange, une rangée de biscuits. Et ainsi de suite jusqu'à épuisement des stocks. Ah oui, petite touche finale, on saupoudre la dernière couche de mascarpone avec un peu de cacao.

6. Il ne vous reste plus qu'à laisser votre dessert au réfrigérateur (plus on le laisse, meilleur c'est) et de retourner farnienter en piapiatant avec vos copines ! (4 heures au minimum !).

* 12 demi-pêches au sirop
* 1 litre de glace à la vanille
* 8 cuillères à soupe de gelée
de groseilles, ou de framboises,
ou de fraises
* Crème Chantilly
Éventuellement :
* Des amandes effilées

Pêches Melba

6 gourmandes
5 à 10 minutes
Facile

Un petit dessert qui donne la pêche !

1. On prépare d'abord un coulis de fruits qui viendra napper le dessert. On verse dans une casserole un peu d'eau et quelques cuillères de gelée de groseilles, de fraises ou de framboises, assortie à son joli doigt verni. On laisse chauffer à feu doux ce sirop rouge baiser. Une fois liquide, on le retire vite du feu.

2. Ensuite, on soigne la déco. Dans les belles coupes chipées à tante Katie, on pose délicatement une boule de glace à la vanille qu'on borde de chaque côté d'une demi-pêche au sirop.

3. Pour parfaire cette exquise présentation, on arrose le tout avec le coulis refroidi et on ajoute un petit looping de crème Chantilly. Ah oui, petite touche finale (et facultative) : une pincée d'amandes effilées. Mummm...

Mlle Deumingôche

Mlle Deumingôche se dit qu'il est inutile de se casser la tête à préparer un sirop pour napper les pêches alors que du sirop, elle en a plein son armoire à pharmacie. Elle prend donc une bouteille au hasard, la verse sur les fruits, comme ça ses copines, en plus de se régaler, n'auront plus mal à la gorge !

À la chaîne

Pour cette recette, vous pouvez mettre vos copines à contribution. Une au coulis, une à la glace, une aux pêches et une à la présentation. La cuisine collective, c'est encore meilleur !

Roses
des sables

— Monsieur et madame des Sables ont une fille. Comment s'appelle-t-elle ?
— Rose !

Mlle Deumingôche

Mlle Deumingôche croit qu'elle est née dans une rose. Alors, pourquoi n'y aurait-il pas, après tout, certaines roses qui naissent dans le sable ? C'est donc tout à fait naturel-lement qu'elle saupoudre son dessert de sable fin, souvenir de ses vacances de l'année dernière à la playa... Cric, croc, ça craque sous les dents !

1. On fait fondre la Végétaline (la végétaquoaa ?) à feu très doux dans une casserole.

2. On ajoute les morceaux de chocolat, mumm, et on tourne dou-cement. Hep, les mains en l'air, on ne mange pas tout, hein !

3. On ajoute une avalanche de sucre glace et on remue tout schuss pour obtenir un mélange onctueux.

4. Ensuite, on passe aux choses sérieuses, la dînette, c'est fini. Hors du feu, on verse les pétales de corn flakes dans la casserole de chocolat. On mélange bien, histoire que les pétales soient complètement enrobés de chocolat.

5. Sur une assiette ou une feuille de papier d'aluminium, on dispose artistiquement avec une cuillère des petites crottes de chocolat.

6. On laisse durcir au moins 30 minutes dans le réfrigérateur et on sert les fleurs de chocolat, en frimant un brin devant les copines.

Plaisir chocolat

Vous pouvez remplacer le chocolat noir par du chocolat au lait ou du chocolat blanc.

Les œufs

Allez vous faire cuire un œuf !

Mlle Deumingôche

Mlle Deumingôche se demande depuis quand les coqs pondent des œufs (des œufs à la coque !) et comment on peut bien réussir à faire cuire des œufs sur ses mollets (des œufs mollets !) ou dans ses poches (œufs pochés !). Mystère et œufs de gomme !

Frais, mes œufs, frais !

Attention, pour les recettes où le jaune n'est pas cuit (œuf à la coque, œuf sur le plat…), choisissez des œufs fraîchement pondus. Pour ce faire, soit vous regardez le paquet et la date de ponte est écrite dessus ! Soit, méthode de Marie Curie, vous plongez l'œuf dans l'eau : s'il coule, il est bon, s'il flotte, il est pourri !

Il y a différents types de cuisson pour les œufs.

On plonge les œufs entiers dans l'eau bouillante :
* 3 minutes pour un œuf à la coque,
* 6 minutes pour un œuf mollet,
* 9 minutes pour un œuf dur.

On les cuit dans une poêle bien chaude avec un peu de matière grasse (beurre, huile, margarine…) :
* on les casse directement dans la poêle pour des œufs au plat,
* on les bat dans un bol pour une omelette (voir recette p. 57),
* on les bat avec du lait ou de la crème fraîche et on remue pendant toute la cuisson pour des œufs brouillés.

On casse délicatement les œufs dans une casserole d'eau vinaigrée bouillante et on les retire au bout de 3 à 4 minutes avec une écumoire, pour réaliser des œufs pochés.

On les cuit au micro-ondes dans un cuit-œuf. On les casse directement dans ce petit récipient, on ferme, on met au micro-ondes et, magie, l'œuf ressort tout rond, poché ou dur, selon le temps de cuisson :
* 20 secondes pour un œuf à la coque,
* 40 secondes pour un œuf mollet,
* 1 minute pour un œuf dur.

Combien par personne ?

Lorsqu'on prépare des œufs, on en compte généralement deux par personne, plus un pour la poêle dans le cas des omelettes, car la poêle aussi aime bien les œufs, et il n'y a pas de raison qu'elle n'ait pas droit à son œuf !

œufs
a la coque
sur le plat
brouillés

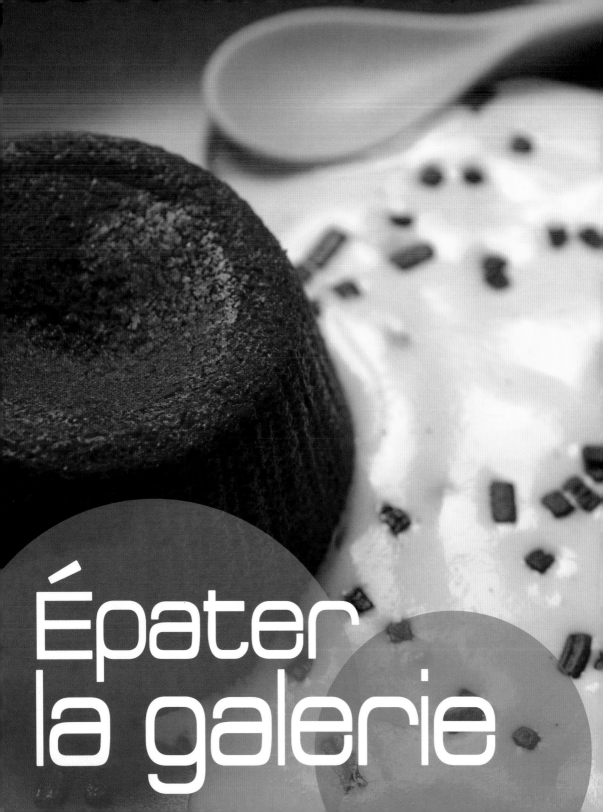

Épater
la galerie

Maintenant que vous savez préparer deux ou trois petites choses simples, que vous ne confondez plus un décapsuleur avec un économe, ou du fenouil avec du céleri (ça , c'est pas sûr...), vous voilà prête à passer dans la classe supérieure de l'école de cuisine et à montrer à tous l'étendue de vos nouveaux talents. Voici donc quelques recettes un peu plus élaborées pour épater la galerie !

Épater
la galerie

6 à 8 personnes en entrée
3 à 4 personnes en plat principal
(avec de la salade)
10 minutes
30 minutes
Facile

Tarte
au saumon

Le plein de phosphore, façon Nord !

1. On préchauffe le four à 180-200° (thermostat 5-6). Déjà une bonne chose de faite !

2. Le poisson d'abord : après décongélation, on le plonge dans l'eau bouillante pendant environ 10 minutes. On le sort de l'eau (même s'il s'y sent comme un poisson dans l'eau !), on l'égoutte et on l'émiette dans une assiette.

3. La garniture ensuite : dans un saladier, on mélange au fouet les œufs, la crème fraîche, le sel (une pincée) et le poivre (un tour de moulin). On y plonge le saumon (en miettes !) et on mélange.

4. Si vous voulez faire une tarte saumon-poireaux, ajoutez des poireaux (surgelés déjà coupés en rondelles) que vous aurez d'abord fait revenir dans une poêle. Si vous voulez faire une tarte saumon-épinards, ajoutez des épinards (surgelés hachés) que vous aurez fait cuire dans de l'eau bouillante et bien égouttés. C'est simple, non ?

5. La pâte : on l'étale, on la pique avec une fourchette, on la couvre avec le mélange. On peut poser par-dessus quelques lamelles de saumon fumé ! C'est le second effet saumon.

6. On met au four pendant 25 à 30 minutes en surveillant bien.

7. Et si vous servez votre tarte avec une salade verte et un beau bouquet d'aneth (ou de fleurs, mais c'est moins original !) sur la table, votre famille sera définitivement épatée!

* Une pâte brisée ou feuilletée
(comme vous préférez) toute prête
* 400 g de filets de saumon frais
(pratique en surgelé)
* 25 cl de crème fraîche (allégée,
si l'été approche)
* 3 œufs
* Sel, poivre
Éventuellement :
* 400 g de blancs de poireau
* 400 g d'épinards surgelés
Facultatif :
* 1 tranche de saumon fumé

* 2 belles escalopes (grandes, mais très fines) de veau (si votre budget ne vous le permet pas, vous pouvez prendre du poulet ou de la dinde)
* 750 g de champignons blancs frais
* Crème fraîche entière ou allégée
* Sel, poivre
* Quelques gouttes de jus de citron
* Huile d'olive
* Beurre ou huile de tournesol
* Vinaigre

Escalopes, champignons et crème

2 personnes
20 minutes
20 minutes
Un peu plus difficile, mais maintenant que vous êtes un cordon-bleu...

Un plat qui ne prendra pas la poudre d'escalope...

1. Les champipi d'abord : on leur coupe la queue, on leur fait prendre un bain (parce qu'ils ont été se balader dans la forêt, alors ils sont plein de terre !), on les sèche, on les coupe en lamelles, on les cuit dans une grande poêle avec un peu d'huile d'olive, du sel, du poivre. Finis les champignons : ils rendent leur jus.

2. La viande ensuite : on fait cuire les escalopes dans une seconde poêle à feu vif avec une noix de beurre ou un peu d'huile. 5 minutes côté pile, 5 minutes côté face. Le suc de la viande va en quelque sorte « caraméliser » au fond de la poêle. Attention à ce qu'il ne noircisse pas (s'il devient trop foncé, on baisse le feu).

3. Retour à la première poêle, celle des champignons : lors-que ceux-ci sont cuits, on retire le couvercle pour que le jus finisse de s'évaporer et on ajoute une cuillère à soupe de vinaigre, c'est le petit secret qui relève le goût des champignons ! On laisse cuire un peu avec le vinaigre en remuant de temps en temps.

4. Mais n'oublions pas la seconde poêle ! Lorsque les escalopes sont cuites, on met de la crème fraîche (environ deux cuillères à soupe, plus si l'été est loin !) dans la poêle et on remue bien. Les sucs qui se sont figés au fond de la poêle vont se dissoudre dans la crème. Mummm… Autre secret de cordon-bleu (eh oui, nous voulons vraiment que vous deveniez une fine cuisinière !) : quelques gouttes de jus de citron pour relever le goût de la crème.

5. Servez votre plat sans attendre (en ayant au préalable noué un petit tablier blanc autour de votre taille pour faire encore plus cordon-bleu) en recouvrant chaque escalope de sauce à la crème et en l'entourant d'une farandole de champignons ! Vos parents ouvriront des yeux ronds devant tant de raffinement !

117

4 personnes
40 minutes
Au moins 1 h 30 (plus
ça mijote et meilleur c'est !)
Facile

Ratatouille

À bas les nouilles, vive la ratatouille !

Ce que fait la ratatouille...

La ratatouille se mange
réchauffée le lendemain.
La ratatouille se mange froide.
La ratatouille se congèle.
La ratatouille se transforme
en piperade quand on casse
des œufs dessus...
Elle en fait des choses
la ratatouille !

Mlle Deumingôche

Mlle Deumingôche entend que, dans ratatouille, il y a « touille », donc elle touille, elle
touille les légumes, et retouille et retouille,
et ratatouille, de sorte qu'elle obtient une
grosse purée de légumes qui fait splosh
quand elle en sert des louches
à ses invités, médusés !

1. Les oignons : on les épluche, on les émince.
Les poivrons : on les lave, on retire les graines et le blanc à l'intérieur, on les coupe en dés.
Les aubergines et les courgettes : on les lave, on les pèle (ou
pas), on les coupe en dés.
Les tomates : soit on ouvre les boîtes, et c'est prêt, soit on les
lave et on les coupe en dés (on ne lave pas les boîtes, on ne les
coupe pas en dés, c'est dangereux !).
L'ail : on l'épluche, on le coupe en tout tout petits dés.

2. Et hop, dans la casserole (avec de l'huile d'olive au fond !) en
ordre serré. D'abord les oignons, 5 minutes, pour qu'ils deviennent
transparents et mous ! Puis les poivrons, 5 minutes pareil ! Et hop
les aubergines, 5 minutes, et hop les courgettes, 5 minutes, et
hop les tomates, l'ail, le sel et le poivre, pour finir. On cha-
peaute tout ce petit monde d'un couvercle, on baisse le feu,
et on laisse mijoter 1 heure, le temps de se faire les ongles de
pied, ou un beau brushing ! Puis 30 minutes, sans couvercle,
pour que le jus s'évapore (dans la nature !).

3. Voilà, vous êtes toute belle et votre ratatouille est prête ! En
plus de vos talents culinaires, vos invités apprécieront votre touche artistique : quelle harmonie des couleurs !

Les ingrédients

* 2 oignons
* 2 poivrons rouges
* 1 poivron vert
* 3 aubergines
* 4 courgettes
* 1 kg de tomates (ou 2 à 3 boîtes
de pulpe de tomate)
* 3 gousses d'ail (ou 1,5 cuillère à
soupe d'ail surgelé déjà haché)
* 5 cuillères à soupe d'huile d'olive
* Sel, poivre

* 5 ou 6 courgettes
* 1 œuf
* 250 g de crème fraîche (allégée,
si vous voulez un plat moins riche)
* 100 g de gruyère râpé
* Une noix de beurre pour
beurrer le moule
* Sel, poivre

Gloups !

Si vous n'aimez pas beaucoup les
légumes, voilà un moyen d'en manger, en gratin avec de la crème et
du fromage râpé, sans avoir à avaler
des tas de verres d'eau pour les faire
descendre.

Gratin de courgettes

6 personnes
15 minutes
1 heure
Facile

Un plat facile à faire, même quand on est une courge en cuisine !

1. Les courgettes d'abord : on les lave, on les essuie et on les épluche en laissant quelques bandes de peau, c'est plus beau, et on les coupe en rondelles comme le saucisson.

2. On fait bouillir de l'eau salée dans une grande casserole.

3. Lorsque l'eau bout, les courgettes y barbotent pendant 15 minutes.

4. On allume le four à 200° (thermostat 6), plutôt que de regarder les courgettes cuire.

5. On égoutte les courgettes quand elles sont cuites.

6. Dans un saladier, on mélange l'œuf, la crème fraîche et une bonne pincée de sel et de poivre, plus le gruyère râpé et les rondelles de courgette. On mélange, on ne touille pas !

7. On verse le tout dans un moule à gratin beurré, on ajoute du gruyère dessus et on met au four pendant 45 minutes. On surveille en fin de cuisson, pour que le joli gratin ne gratine pas trop... Ce serait dommage que votre famille avale du carbone à la courgette !

Mlle Deumingôche

Mlle Deumingôche confond les courgettes et les gros cornichons : ses parents ont eu bien du mal à avaler son gratin de cornichons très vinaigrés la dernière fois qu'elle l'a fait !

4 personnes
25 minutes
30 minutes
Facile

Lasagnes

Mlle Deumingôche

Mlle Deumingôche étale une première couche de lasagnes, une deuxième et ne sait plus où elle en est : sauce béchamel ou sauce bolognaise ? Elle verse alors la totalité des deux ingrédients en même temps et dispose sur ce mélange toutes les feuilles de lasagnes qui lui restent. Au moment de servir, le milieu coule de tous les côtés, et sur sa spatule il n'y a qu'un amas de pâtes sèches... Quelle nouille !

Rajoutez-en une couche !

1. Pour commencer, on allume le four à 200-225° (thermostat 6-7).

2. Ensuite, on prend un plat à gratin (plat rectangulaire) et on le beurre. On tapisse le fond du plat d'une couche de feuilles de lasagnes (on peut découper une feuille pour boucher les trous !). On nappe d'une couche de sauce béchamel. On dispose une nouvelle couche de feuilles de lasagnes, on verse dessus une couche de sauce bolognaise parsemée de parmesan. Ensuite, il n'y a qu'à suivre le rythme (à danser en quatre temps comme le cha-cha-cha) : lasagnes-béchamel-lasagnes-bolognaise et parmesan… tant qu'il y a assez d'ingrédients. On termine par une couche de lasagnes recouvertes de béchamel saupoudrée de parmesan.

3. On place le plat au four pendant 30 minutes environ. Tic, tac, tic, tac… Ne laissez pas carboniser vos lasagnes : si le dessus grille trop vite, couvrez le plat avec une feuille de papier d'aluminium.

4. Vous avez terminé l'apéro avec vos parents et vous vous demandez quand c'est cuit. Si le couteau s'enfonce très facilement dans la pâte, vous pouvez dire à vos invités d'honneur : « Si vous voulez bien vous donner la peine de passer à table… »

* 1 litre de béchamel toute prête (ou voyez la recette page 130 si vous voulez la faire vous-même)
* 500 g de feuilles de lasagnes (vous en trouvez au rayon des pâtes)
* 150 g de parmesan râpé
* 2 boîtes de sauce bolognaise (si vous voulez la faire vous-même, voyez la recette des spaghettis à la bolognaise page 70)
* Beurre pour le plat

Succès garanti

Cuisinés à toutes les sauces (aux épinards, au pistou et même aux orties !), avec les lasagnes, on régale *tutta la famiglia* !

* 1 pâte feuilletée toute prête
* 16 figues (les derniers fruits d'été !)
* 50 g de cassonade (sucre roux)
* 1 verre de sirop de canne
* Quelques gouttes de jus de citron

Tarte
aux figues caramélisées

6 personnes
15 minutes
30 minutes
Facile

Une tarte tout en finesse...

1. On allume le four à 180° (thermostat 5).

2. La pâte d'abord : on la déroule et on l'étale dans un moule de 28 cm de diamètre (pas un de plus ni de moins. C'est une blague !). On pique régulièrement la pâte avec les dents d'une fourchette, sans en faire un tamis pour aller jouer sur la plage !

3. Ensuite les figues : on les lave et on les essuie. On les coupe en tranches fines et on les pose sur la pâte. On recouvre de cassonade.

4. Direction le four pendant 30 minutes environ.

5. Lorsque la tarte est sur le point d'être cuite (et pas brûlée) : dans une casserole, on fait cuire le sirop de canne et les quelques gouttes de jus de citron à feu doux. On laisse frémir jusqu'à ce que le sirop commence à blondir légèrement (pas à noircir !). On verse le tout sur la tarte.

6. Et voilà une délicieuse tarte caramélisée (et pas brûlée !). Servez-la tiède avec, pourquoi pas, une boule de glace à la vanille.

C'est de la triche !

À coup sûr, devant cette si belle tarte, on se demandera si vous n'êtes pas passée chez le pâtissier avant le repas, comme votre père passe chez le poissonnier lorsqu'il revient bredouille de la pêche !

* 200 g de farine
* 125 g + 20 g de beurre
* 100 g de sucre (brun de préférence)
* 3 poires bien mûres
* 3 pommes
* 1 sachet de sucre vanillé

Le fruit de votre imagination

Vous pouvez également essayer cette recette avec d'autres fruits (fruits rouges, rhubarbe, banane !).

Crumble
aux poires et aux pommes

6 personnes
15 minutes
30 minutes
Facile

La pâte au-dessus, ce n'est pas mal non plus…!

1. On allume le four à 200° (thermostat 6).

2. On s'attaque aux fruits. Pommes et poires se retrouvent toutes nues, sans trognons, et coupées !

3. On s'attaque au moule (rond, ovale ou rectangulaire, peu importe !). Il se retrouve beurré au fond (avec les 20 g de beurre). On lui verse les fruits dessus, c'est bon pour ce qu'il a ! Avec du sucre vanillé en prime !

4. On s'attaque à la pâte : on mélange avec les mains propres (certaines évidences sont toujours bonnes à rappeler !) la farine, le beurre (coupé en tout petits dés, pour faciliter le malaxage) et le sucre. On frotte ses mains l'une contre l'autre, et pour montrer son contentement, et pour donner à la pâte l'aspect du sable (non, vous n'êtes pas sur la plage, et vous ne faites pas des pâtés et des étoiles avec la pâte !). Les mixers savent aussi très bien faire ça. Attention, si on mixe trop, le beurre fond et la pâte fait une boule et c'est dur de retransformer la boule en sable…

5. On répartit la pâte poudreuse sur les fruits.

6. On enfourne 30 minutes. On ne va pas faire un tour de pâté de maisons, on reste dans le coin et on surveille que la croûte du dessus ne devienne pas de la lave noire refroidie ! Si elle en prend le chemin, on baisse la température du four.

7. On sert chaud, avec une boule de glace à la vanille froide. Ce chaud-froid-là, tout le monde aime ça !

Mlle Deumingôche

Mlle Deumingôche lit dans la recette que la pâte doit être au-dessus. Elle fait donc cuire des pâtes et les verse sur son crumble, elle sert le tout à ses invités incrédules…

8 personnes
10 minutes
7 minutes
Un peu plus difficile, mais à votre portée, les filles

Fondants au chocolat

Pour fondre de plaisir...

Mlle Deumingôche

Mlle Deumingôche se dit que ses fondants au chocolat doivent fondre, comme leur nom l'indique. Alors, elle les met au congélateur, les sort, les met au soleil, et attend qu'ils fondent comme de la glace, ce qui n'est évidemment pas le cas. Pauvre Mlle Deumingôche !

1. On allume le four à 200° (thermostat 6). Y a pas de raison, lui aussi il faut qu'il bosse !

2. Le chocolat, on le regarde avec les yeux, on ne se jette pas dessus pour le manger, on le met avec son copain le beurre dans un récipient résistant à la chaleur et on les fait fondre ensemble au four à micro-ondes (environ 1 minute). Ou à la casserole.

3. Dans un saladier, on mélange la farine, le sucre et les œufs à l'aide d'un fouet. Y a pas de raison, faut que tout le monde s'amuse ! Puis on ajoute le mélange beurre-chocolat fondu en continuant à remuer au fouet.

4. On prend une plaque de 8 moules individuels en silicone (moules en forme de cœur, pour dire à vos parents que vous les aimez d'amour !) ou, à défaut, 8 ramequins en Pyrex ou en porcelaine résistante (dans ce cas, il faudra beurrer les moules, ce sera mieux).

5. On enfourne pendant 7 minutes (le temps de quelques abdos et pompes en prévision des calories que vont apporter ces gâteaux, petits mais costauds !) pour que l'extérieur soit cuit, mais que l'intérieur reste fondant, voire un peu coulant.

6. On sert les gâteaux tièdes avec une boule de glace à la vanille. C'est toujours une réussite, car rares sont ceux qui n'aiment pas le chocolat !

Les ingrédients

* 250 g de chocolat noir
* 175 g de beurre
* 125 g de sucre glace
* 75 g de farine
* 5 œufs

En accompagnement :
* glace à la vanille

Petits,
mais costauds !

Et voilà des petits gâteaux
qui vont produire de
grands effets sur vos
convives affamés !

Tout ce que vous avez
toujours voulu savoir
sur la cuisine...

(sans jamais avoir osé le demander !)

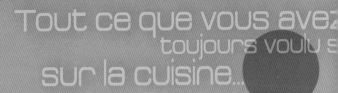

Tout ce que vous avez
toujours voulu s
sur la cuisine...

(sans jamais avoir osé le der

Ça y est, maintenant, vous êtes les reines de la cuisine.

Pâtes, crêpes, salades n'ont plus de secrets pour vous

et vous réjouissez les papilles de tous ceux qui vous entourent.

Voici donc quelques petites généralités sur la cuisine

(comment faire ses courses, les ustensiles importants,

les gestes de base, les secrets d'une bonne alimentation)

pour ne pas faillir à votre réputation de fin cordon-bleu, conquise

au prix de nombreux efforts et de quelques ratages d'anthologie,

comme cette quiche lorraine avec de la pâte brisée sucrée !

Immangeable !

Règles d'hygiènes et de sécurité

Voici quelques conseils pour cuisiner en toute sécurité...
et en toute propreté !

● Conseils d'hygiène

* Lavez-vous bien les mains avant de cuisiner : préparer une pâte brisée avec des mains toutes poisseuses et pleines d'encre de stylo, c'est bof !

* Nettoyez bien le plan de travail avant de commencer à cuisiner : couper des tomates sur des miettes de pain et des pelures de pommes de terre, ça risque de faire une drôle de salade !

* Utilisez toujours une vaisselle et des ustensiles bien propres : préparer un gâteau au chocolat dans un plat où il reste des morceaux de lasagnes, beurk !

* Lavez à l'eau froide les fruits, les légumes, les poissons. On a bien dit à l'eau froide ! Parce que si vous lavez une laitue à l'eau chaude, vous la cuisez, tout simplement !

Du bon usage du torchon

Un torchon sert à essuyer de la vaisselle propre et non à nettoyer de la vaisselle sale. Ça, c'est le rôle d'une éponge ! On en change régulièrement.

● Conseils de sécurité

* Les surgelés se conservent au congélateur. Utilisez un sac isotherme pour le transport entre le magasin et le congélateur. Les produits surgelés doivent rester le moins longtemps possible hors du congélateur pour ne pas décongeler. Servir une glace à la vanille fondue aux invités n'est pas recommandé ; autant leur servir directement de la crème anglaise !

* Une fois qu'un produit est décongelé (même en partie), il ne faut surtout pas le recongeler, c'est-à-dire le remettre au congélateur. Vous risqueriez d'être malade !

* Si un aliment nécessite une décongélation avant préparation, utilisez le four à micro-ondes en position décongélation ou laissez-le plusieurs heures au réfrigérateur, mais évitez de le laisser décongeler hors du réfrigérateur.

* Il ne faut surtout pas mettre d'éléments métalliques (couverts, plats, papier d'aluminium...) dans un four à micro-ondes,

sinon, vous faites exploser la cuisine. Attention aussi au plastique, qui peut fondre s'il n'est pas adapté à la cuisson au micro-ondes : des endives au plastique fondu, et non au fromage fondu, ne sont pas comestibles ! Certains plats décorés ou colorés ont des peintures qui contiennent des métaux, ça fait des étincelles ou ça brûle les doigts.

* Si vous utilisez une cuisinière à gaz, veillez à ne pas laisser le gaz ouvert, têtes de linotte !

* Faites attention à ne pas vous brûler en sortant les plats du four, en soulevant un couvercle (avec la vapeur ou les projections d'huile chaude). N'enfilez pas pour autant une tenue de cosmonaute dès que vous vous approchez de la cuisinière !

* Lorsque vous utilisez une plaque électrique, celle-ci reste chaude un moment même si vous l'éteignez : faites attention à ne pas y toucher, à ne rien poser dessus (surtout des choses en plastique).

* Évitez de laisser le manche de la casserole dépasser de la cuisinière, des enfants pourraient l'attraper ! Ou même vous, maladroites !

Au feu !

Si jamais une casserole prend feu, plutôt que d'appeler directement les pompiers et de hurler, ou de jeter une bassine d'eau sur la cuisinière, placez un couvercle dessus pour étouffer le feu en le privant d'oxygène et éteignez le feu en dessous (si vous utilisez une cuisinière à gaz) ou poussez la casserole hors de la plaque électrique.

Les ustensiles
indispensables

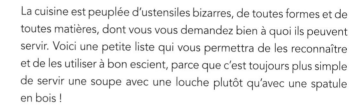

Comme dans une cuisine de pro !

La cuisine est peuplée d'ustensiles bizarres, de toutes formes et de toutes matières, dont vous vous demandez bien à quoi ils peuvent servir. Voici une petite liste qui vous permettra de les reconnaître et de les utiliser à bon escient, parce que c'est toujours plus simple de servir une soupe avec une louche plutôt qu'avec une spatule en bois !

Balance : pour peser.
Batteur électrique : pour monter les blancs d'œufs en neige, par exemple.
Casseroles de différentes tailles, poêle à crêpes, sauteuse, marmite : pour faire cuire des trucs.
Éventuellement Cocotte-Minute, autocuiseur... : pour cuire d'autres trucs, mais plus vite !
Couteaux spéciaux : couteau à pain (lame crantée), couteau à viande (lame lisse)... pour couper, bien sûr !
Couvercles (adaptés aux tailles des casseroles, sauteuses, marmites...) : pour couvrir casseroles, sauteuses, marmites...
Cuillères en bois, spatules : pour touiller.
Économe (ou épluche-légumes) : pour éplucher les légumes !
Fouet : pour fouetter, ça paraît évident !
Louche : pour servir la soupe !
Mixer : pour mixer, mon capitaine !

Moules à gâteaux (bords hauts), moules à tartes (bords bas) : pour faire des gâteaux et des tartes, banane !

Autres moules particuliers : moule à cake, moule à charlotte, moule à soufflé… : pour faire des cakes, des charlottes, des soufflés…

Ouvre-boîtes : pour ouvrir les boîtes de conserve. Merci, monsieur de La Palice !

Passoire : pour égoutter.

Planche à découper : pour découper certains aliments sans abîmer la table de la cuisine !

Plat allant au four (rectangulaire, ovale…) : pour faire cuire un plat au four, comme son nom l'indique ! Attention : tous les plats n'y vont pas et, dans ce cas, ils explosent !

Rouleau à pâtisserie : pour aplatir la pâte.

Saladier : pour mettre la salade !

Verre gradué : pour mesurer.

Ce qu'on trouve dans les placards

En plus des cadavres et des amants !

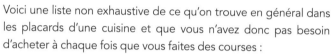

Voici une liste non exhaustive de ce qu'on trouve en général dans les placards d'une cuisine et que vous n'avez donc pas besoin d'acheter à chaque fois que vous faites des courses :

* Huile, vinaigre, sel, poivre, moutarde (attention, certains la mettent au réfrigérateur !) épices, herbes, sauce tomate.
* Thé, café (attention, certains le mettent au réfrigérateur !), tisanes.
* Farine, sucre, pâtes, riz, boîtes de conserve.
* Beurre, lait, œufs (beaucoup les mettent au réfrigérateur).
* Dans les bonnes maisons : une (ou des) tablettes(s) de chocolat.
* Si vous êtes chez des Belges : patates et graisse de bœuf en plaquette pour faire des frites (attention à ne pas confondre ces plaquettes avec des plaquettes de beurre, ça n'a vraiment pas le même goût !).
* Si vous êtes dans le Sud-Ouest : une conserve de confit de canard et un pot de graisse d'oie (plus digeste que la graisse de bœuf, quoique !).
* Si vous êtes à Strasbourg, une conserve de choucroute et des saucisses dans le réfrigérateur.
* Et ainsi de suite, de région en région…

huile
conserve
farine
chocolat

Faire
ses courses

Et pas la course !

● Où aller ?

Vous avez invité vos copines après les cours demain après-midi. Au programme : refaire le monde. Au menu : salade de fruits rouges et fondant au chocolat. Déjà, bravo ! Vous avez réussi à choisir deux recettes dans ce fabuleux guide, c'est bien !

Vous lisez la liste des ingrédients : des fraises, des framboises, du sucre, du chocolat, du beurre, entre autres, et vous vous demandez où vous allez dénicher tout ça. Autant trouver un magasin pour acheter un petit top vert pomme, vous savez tout de suite où aller les yeux fermés, autant là, mystère et boule de gomme. Pas de panique, les filles, nous sommes là !

Plan de bataille

1 • D'abord, faites une liste. Vous vous connaissez, les cours d'histoire, vous les apprenez le soir, vous les oubliez le lendemain. Alors là, mieux vaut être vigilante !
2 • Ensuite, inspection des placards et du réfrigérateur pour voir ce qu'il y a et ce qu'il manque.
3 • Enfin, direction le supermarché !

● Supermarket !

Comme son nom l'indique, le supermarché, c'est un marché, mais super-bien, où l'on trouve, en théorie, tout ce dont on a besoin, des produits frais aux surgelés, en passant par les conserves.

Vous voilà dans ce lieu nouveau et, pour tout dire, un peu hostile. Armée de votre liste que vous aurez pris soin de ne pas oublier, s'il vous plaît, vous attrapez un chariot ou un panier, parce que, aux dernières nouvelles, vous n'avez que deux bras qui ne pourront contenir toutes vos courses. Ensuite, vous entrez et là, repanique, il y a de tout partout et vous ne savez pas par quel bout le prendre, ce supermarché.

Vous slalomez donc entre les Caddies et les enfants qui crient dedans, et vous trouvez enfin le rayon chocolat. Rerepanique ! Y en a trop ! Lequel prendre ?

Tête en l'air

Dans le supermarché, levez les yeux, les filles, il y a des panneaux à chaque entrée de rayon pour dire ce que chaque rayon contient !

● Comment choisir le bon produit

1. On achète le chocolat dont on a besoin, du chocolat de cuisine, pas du lait-noisettes ! Les filles, on ne craque pas !
2. Mais des chocolats de cuisine, il y en a six sortes, alors lequel ?

★ Premier critère : le prix

Cette tablette est à 3 euros, cette autre à 2 euros, naïvement vous prenez celle à 2 euros, puisqu'elle est moins chère. Halte-là, malheureuse ! La tablette à 2 euros pèse 250 g, celle à 3 euros, 500 g. Proportionnellement, c'est donc la tablette à 3 euros qui est la moins chère (même si vous n'êtes pas très forte en maths, ça, c'est du programme de sixième, et encore !). Il vous faut donc regarder le prix au kilo plutôt que le prix tout court pour comparer (les prix !).

TICKET DE
CAISSE
6.05.05
TROUV' TOUT

~ — 4,5€
~ ~ 0,30€

4,80€
~~ -

*Deuxième critère : la nature du produit, sa composition

Pour cela, il y a une étiquette. S'il y a 5 % de cacao dans votre chocolat, 50 % de graisses végétales et le reste de sucre (d'ailleurs, ça fait combien le reste ? Il y aura une interro à la fin du guide, attention !), prenez-en un autre ! Et les colorants B 28 et E 625, et les exhausteurs de goût, et les conservateurs, et les épaississants, et autres cochonneries, c'est mieux sans !

* Troisième critère : la date de péremption

Bon, pour le chocolat, c'est pas vital, mais pour la viande, les œufs ou les produits laitiers, il faut faire attention. Si vous lisez « à consommer jusqu'au » ou « à consommer avant le », pas touche après cette date ! En revanche, si vous lisez « à consommer de préférence avant le », cela signifie qu'au-delà de cette date le produit risque d'être moins bon au goût, mais que vous pouvez encore le consommer pendant quelques jours. Les yaourts ne moisissent pas dans la nuit du 31 mai à minuit et une minute parce que leur date de péremption est le 31/05 !

* Quatrième critère : la tête du produit

Si l'emballage est ouvert et le chocolat déjà grignoté, si le chocolat a l'air fondu ou est tout vert (quoique pour faire moisir du chocolat, faut y aller !), si le couvercle du fromage blanc est bombé, sur le point d'exploser, on en prend un autre. De même, n'hésitez pas à attraper les sachets de clémentines ou les barquettes de viande pour regarder les aliments du dessous qui sont cachés. Parfois, ils sont en triste état !

3. Une fois tous les aliments trouvés, on passe à la caisse (on ne remplit pas ses poches avec ses achats), on fait la queue (on a le droit de laisser passer le pauvre homme qui n'a qu'un article alors qu'on en a cinquante. Inversement, la vieille bique qui vous pique votre place parce que vous êtes jeune et qu'elle pense vous impressionner, on ne la laisse pas faire !), on paie, et on s'en va, direction la cuisine, où les choses sérieuses peuvent commencer !

Petits commerçants

Peut-être que le supermarché vous fait peur et que vous préférez aller dans de petites boutiques pour faire vos courses, avec un commerçant qui vous parle et vous sourit, quand la caissière fait le plus souvent une tête de six pieds de long. Soit, mais il vous faudra rallonger la note (les petits commerces sont plus chers) et rallonger vos jambes (il faut aller d'échoppe en échoppe, car tout n'est pas au même endroit !).

Goûtez mon saint-marcellin corse !

Et le marché pour faire ses courses ? Pourquoi pas ! Mais faites-vous accompagner au début, car vous aurez certainement du mal à savoir quel jour c'est et à vous repérer entre les étals : « Il est beau, mon poisson, tout frais tout beau », « Il est encore plus beau, mon poisson, pêché de cette nuit », « Il est plus que frais mon poisson, si frais qu'il n'est pas encore décongelé ! » Entre ces cris, quel poissonnier choisir ? Pas le dernier, ça c'est sûr ! Votre grand-mère, habituée de ce marché, saura vous éloigner des arnaqueurs et autres lourdauds qui vous proposent du saucisson sec avec des regards lubriques !

Séance d'épluchage

Déshabillez-moi ! (mais pas trop vite)

Le problème hautement philosophique de ce chapitre est : comment épluche-t-on les légumes et les fruits ? À cette question, en personnes avisées et pragmatiques, nous répondons : ça dépend du fruit ou du légume à éplucher. Merci, mon capitaine !

Économe-ik !

L'arme hyperefficace de la cuisinière avertie, l'objet chéri qu'elle garde toujours dans la poche de son tablier, son trésor, mieux qu'un couteau suisse, c'est L'ÉCONOME (dit aussi couteau-économe ou épluche-légumes, ça dépend de quelle région vous êtes !). Il fait des épluchures fines (d'où son nom, on n'enlève pas beaucoup de l'aliment en l'épluchant), on ne se coupe pas avec (ou alors, faut vraiment y aller, ou s'appeler Mlle Deumingôche !), il est super-rapide (plus exactement, vous êtes très rapide quand vous l'utilisez, enfin, au bout de quelques semaines !). Vive l'économe !

On épluche et on lave après :	Les carottes, les courgettes, les oignons, les pommes de terre, les choux-fleurs, les navets, les salades vertes.
On épluche et on enlève en plus un truc :	Les pommes (et leurs trognons), les échalotes et l'ail (on enlève le germe vert du centre), les concombres (les pépins), les champignons (l'extrémité du pied).
On épluche et on ne lave pas :	Les endives, car ça les rend plus amères, les bananes, les oranges (pas besoin de les laver, elles sont protégées par leur peau).
On n'épluche pas et on lave :	Les tomates, les poivrons, les aubergines, les fraises, les framboises, les mûres, les myrtilles, les cerises, les pommes de terre, quand on veut les faire en robe des champs.
On n'épluche pas et on ne lave pas :	Les fruits directement cueillis sur les arbres, sauf si migration de pigeons ou grand-père adepte des pesticides !

économe
épluche-légume
couteau

Les gestes de base
en cuisine

Blop, blop, blop ; tac, tac, tac ; pschit, pschit, pschit !

Arroser : verser (par exemple, sur de la viande en train de cuire au four) de l'eau (chaude) ou du jus de cuisson. Ou boire à une soirée (ce qui n'est pas conseillé !).

Battre : agiter, mélanger très vigoureusement des ingrédients. Par exemple, battre des œufs en neige signifie remuer vigoureusement les blancs d'œufs jusqu'à ce qu'ils changent de consistance et deviennent presque solides (on peut utiliser un batteur électrique si on est flemmarde). Ou taper sa petite sœur (mais ça, c'est pas bien !) pour obtenir le tee-shirt qu'elle ne veut pas vous prêter !

Blanchir : plonger un aliment cru (légume ou viande) quelques minutes dans de l'eau bouillante pour l'attendrir, le nettoyer ou lui enlever un peu de son sel, avant de le préparer. Ou passer un vêtement dans de l'eau de Javel !

Blondir (faire) : faire chauffer dans du beurre ou de l'huile, cuire jusqu'à ce que l'aliment prenne une couleur blonde, c'est-à-dire légèrement dorée. Ou se décolorer les cheveux !

Bouillir (faire) : porter à ébullition un liquide en le faisant chauffer (l'ébullition se reconnaît par les grosses bulles que forme le liquide et le bruit qui l'accompagne). Ou énerver sa mère !

Découper : (Mais non, on ne vous prend pas pour des imbéciles !) Séparer en plusieurs morceaux, parties ou parts, généralement à l'aide d'un couteau.

Déglacer : verser un peu d'eau (ou du vinaigre) sur le fond d'une poêle pour rendre liquides les sucs qui se sont figés au fond à la cuisson. Ou manger « dé » glaces !

Dégorger (faire) : faire sortir l'eau d'un aliment (par exemple, faire dégorger des concombres). Ou attraper quelqu'un à la gorge pour lui faire cracher la vérité (mais c'est un peu violent !).

Dorer (faire) : laisser cuire jusqu'à ce que l'aliment commence légèrement à… dorer ! Ou bronzer.

Égoutter : laisser s'écouler l'eau contenue dans un aliment. On utilise souvent une passoire, ou… question à 1 000 euros, un égouttoir, bravo !

Émincer : couper en tranches très minces, en fines lamelles, un aliment. Ou faire une bêtise et dire : « Et mince alors ! »

Éplucher : retirer la peau et les parties inutiles d'un fruit ou d'un légume généralement à l'aide d'un couteau (ou d'un économe ou d'un… épluche-légumes. Bravo !)

Essorer : retirer l'eau qui imprègne un aliment. Par exemple, essorer une salade dans une essoreuse à salade, original. Ou mettre la machine à laver sur le bouton essorage.

Farcir : remplir avec de la farce l'intérieur d'une viande ou d'un légume. Par exemple, tomates farcies à la viande. Ou ne pas supporter quelqu'un (« Celle-là, faut se la farcir ! »).

Fondre (faire) : faire passer un aliment d'un état plus ou moins solide à un état liquide sous l'action de la chaleur. Ou faire craquer son amoureux en battant vite des cils !

Fouetter : remuer vigoureusement à l'aide d'un fouet (quelque chose, pas quelqu'un !).

Frémir (faire) : porter un liquide à un état proche de l'ébullition

(il commence à s'agiter, mais ne fait pas encore de grosses bulles). Ou faire peur à quelqu'un.

Frire (faire) : faire cuire dans de l'huile bouillante, pas seulement les frites !

Gratiner : passer au four un plat saupoudré de fromage râpé (par exemple) jusqu'à ce que le dessus commence à dorer (pas à brûler). Ou faire une blague de mauvais goût (dite « blague gratinée ») à quelqu'un.

Griller : faire cuire à une chaleur vive sur le... gril. Ou prendre un énorme coup de soleil !

Hacher : couper en petits morceaux (hachés menu) à l'aide d'un... hachoir ou d'un couteau.

Incorporer : intégrer un aliment à une préparation, généralement en l'y mélangeant. Ou entrer dans l'armée !

Infuser (faire) : plonger des plantes dans de l'eau bouillante et les y laisser un certain temps (quelques minutes) pour qu'elles parfument l'eau et deviennent... une infusion ! Bravo ! Ou faire attendre son amoureux.

Mariner (faire) : laisser tremper un certain temps un aliment (comme de la viande crue) dans un liquide parfumé appelé... marinade (souvent à base d'huile et d'épices). Ou faire attendre son amoureux (encore !).

Mijoter (laisser) : cuire lentement à feu doux. Ou faire attendre son amoureux (encore et toujours, le pauvre !).

Napper : recouvrir de sauce (assez consistante) un aliment ou une préparation. Ou mettre la nappe sur la table !

Paner : recouvrir de chapelure un aliment (souvent un filet de viande ou de poisson) avant de le faire cuire. Ou dire : « Celui qui me fera faire du tricot, il n'est pas né ! »

Peler : retirer la peau, éplucher un légume, par exemple. Ou perdre sa peau après un coup de soleil !

Pétrir : travailler une pâte (généralement avec les mains) en la malaxant, de sorte qu'elle soit pétrie de bonnes intentions.

Pocher : faire cuire (un œuf par exemple) dans un liquide bouillant (en général, le truc cuit prend la forme d'une petite poche, d'où le mot « poché ». Pas bête !). Ou faire les poches de quelqu'un !

Réduire (faire) : laisser bouillir un moment une sauce ou un jus pour

l'épaissir grâce à l'évaporation du liquide, et en réduire ainsi le volume. Ou couper la tête des gens (réducteur de têtes !).

Revenir (faire) : passer de la viande ou des légumes dans une poêle contenant un corps gras (souvent de l'huile) à feu assez vif pour qu'ils se colorent en surface. Ou faire revenir sa mère du travail parce qu'on a oublié ses clés.

Rôtir : faire cuire de la viande à une chaleur vive, souvent au four, sans sauce. Ou cuire sous une tente quand il fait très chaud !

Saisir : faire cuire rapidement à feu vif. Ou attraper quelqu'un vigoureusement.

Saupoudrer : recouvrir d'une légère couche avec de la poudre (souvent du sucre, pas du maquillage !).

Sauter (faire) : faire revenir un aliment à feu très vif en le remuant très régulièrement ou en secouant la poêle pour éviter qu'il n'attache au fond, mais en évitant qu'il ne saute pour autant hors de la casserole. Ou faire sauter un enfant sur ses genoux (« Au galop, au galop, au galop ! »).

Tamiser : passer au tamis (bonjour, monsieur de La Palice !) une poudre (comme de la farine) pour éviter que les grumeaux ne tombent dans la préparation. Ou baisser la lumière (lumière tamisée) pour embrasser son amoureux !

Les différents modes de cuisson

Chaud devant !

Pour protéger vos petits doigts quand vous sortez un plat brûlant du four, pensez à utiliser un gant spécial ou une manique !

La friture

La friture consiste à plonger un aliment dans un bain d'huile bouillante pour le cuire. C'est ainsi qu'on fait les frites, par exemple.

La cuisson en papillote

Attention, ce ne sont pas les petits morceaux de tissu qu'on se met dans les cheveux pour avoir de belles anglaises le lendemain au réveil, mais des petites poches en papier d'aluminium ou en papier sulfurisé dans lesquelles on place le poisson, la viande ou les légumes pour une cuisson au four traditionnel, sans ajout de matière grasse. Idéal pour être belle en maillot !

Four traditionnel, micro-ondes, friteuse, passons tous ces modes de cuisson sur le gril, ah, ah, ah !

● La cuisson au four traditionnel

Le four traditionnel est votre meilleur allié car on y cuit presque tout : viandes, poissons, gratins, tartes, gâteaux…
Mais il faut commencer par le préchauffer, c'est-à-dire l'allumer, de 10 à 15 minutes avant d'y placer le plat à cuire, parce que ce four est comme un diesel, lent au démarrage ! On règle la chaleur en fonction du plat qu'on veut cuire, et de ce qui est dit dans la recette. Voici la table de correspondance entre les températures et les numéros, cette table n'étant pas à apprendre par cœur, contrairement aux tables de multiplication de l'école primaire :

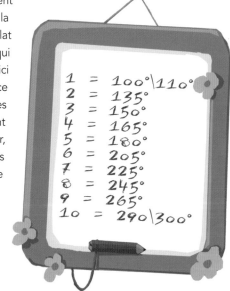

1	=	100°\110°
2	=	135°
3	=	150°
4	=	165°
5	=	180°
6	=	205°
7	=	225°
8	=	245°
9	=	265°
10	=	290\300°

● La cuisson au four à micro-ondes

Le four à micro-ondes permet de décongeler un produit (sur la position décongélation), ramollir du beurre, faire fondre du chocolat, faire chauffer de l'eau rapidement, préparer un plat cuisiné surgelé ou réchauffer les restes d'un plat, tout un tas de choses très utiles ! Pour les Marie Curie qui veulent comprendre le pourquoi de la chose scientifiquement, le micro-ondes agite les molécules d'eau présentes dans tous les aliments qui se réchauffent ainsi.

● La cuisson à l'eau

On plonge les aliments dans de l'eau froide ou bouillante et on les y fait cuire. Ce mode de cuisson peut s'appliquer aux légumes, fruits, viandes, poissons, pâtes, riz. On sale généralement l'eau quand elle bout, pas avant. Pour les Marie Curie qui veulent encore comprendre le pourquoi de la chose scientifiquement, c'est parce que l'eau salée bout plus vite que l'eau tout court, alors votre eau ne sera pas assez chaude si vous mettez le sel avant !

La cuisson à la vapeur

On fait bouillir de l'eau dans une casserole et on pose dessus un panier spécial, percé de trous, dans lequel on a placé les légumes, viande ou poisson à cuire. Le panier ne doit pas toucher l'eau.

La cuisson à la Cocotte-Minute

(dite aussi autocuiseur)
La cocotte est une grosse casserole avec un gros couvercle dans laquelle la pression monte et la température avec, de telle sorte que les aliments (légumes, viandes et poissons) y cuisent plus vite que dans une simple casserole et gardent toutes leurs vitamines ! Mais attention ! cet engin est à manier avec précaution et, surtout, il ne faut jamais l'ouvrir avant d'avoir fait sortir la vapeur qui maintient la pression.

Boum !

On ne met pas d'élément métallique (papier d'aluminium, conserves, couverts…) au micro-ondes, sous peine d'explosion de l'engin ! De même, on perce de quelques coups de fourchette la pellicule plastique qui couvre les plats cuisinés sous peine d'explosion du plat, cette fois, et donc d'un lavage intégral immédiat du four à micro-ondes.

151

Les secrets
des repas équilibrés

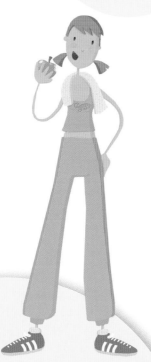

La forme, pas les formes !

Les filles, à votre âge, on grandit encore, alors on a parfois des fringales qu'un festin de dernière page d'Astérix et Obélix (vous savez, sous les arbres, avec le barde attaché, les sangliers qui circulent et la table longue de six mètres !) ne suffirait pas à assouvir. Mais on a aussi envie d'être belle en maillot. Alors, comment concilier ces deux impératifs ?

● On ne saute pas de repas !

Vous vous dites naïvement : moins je mange, moins je grossis, et donc vous sautez le petit déjeuner, vous picorez deux haricots à la cantine le midi. Mais, en rentrant du lycée, n'y tenant plus, vous vous faites une orgie de pâte à tartiner au chocolat, de gâteaux apéritif et autres chips, pour sauter de nouveau le repas du soir. Mauvais calcul ! Car le corps, privé de victuailles le matin et le midi, retient tout ce que vous lui offrez enfin à 17 heures et le stocke en prévision de la nouvelle diète vespérale que vous allez lui infliger. Il vaut donc mieux manger un peu de tout chaque fois que vous vous mettez à table plutôt que faire l'impasse sur un repas.

● Quoi manger ?

Vous vous dites naïvement : si je ne mange plus de gras, je vais perdre mon gras. Alors, plus de tartines beurrées le matin, plus

Boissons sucrées

Les sodas sont des pièges à sucre : souvenez-vous que dans une canette de cola, il y a l'équivalent de 8 morceaux de sucre environ ! Alors, préférez l'eau, plate ou gazeuse, avec une orange ou un citron pressé dedans, pour le goût !

d'huile dans votre salade, plus de jambon avec son gras autour… Et vous compensez parfois par des fruits et légumes, le plus souvent par des petits gâteaux, des barres chocolatées, et autres bonbecs. Mauvais calcul ! Car les lipides sont des éléments essentiels au bon fonctionnement du corps, et surtout à celui du cerveau, et les sucres rapides, eux, font grossir. Donc, non seulement vous n'allez pas maigrir, mais en plus vous allez devenir bébêtes ! Un peu de tout (glucides, lipides, protides, fibres…) à chaque repas, c'est bien mieux !

● Souris grignoteuse

Vous vous dites naïvement : si je ne mange pas vraiment, mais que je grignote de petites quantités souvent, je mangerai finalement moins et donc je garderai la ligne. Alors vous picorez des gâteaux, des chips, des glaces, pendant que vous faites vos devoirs, que vous regardez la télé, que vous passez des heures au téléphone. Et quand l'heure du repas arrive, vous n'avez plus faim et vous ne mangez rien. Mauvais calcul ! Mieux vaut bien manger quatre fois par jour en se mettant à table que grignoter toutes les heures n'importe où, n'importe quoi, n'importe comment. Votre estomac n'est jamais rassasié et toujours en demande, la machine est déréglée. Un peu d'ordre là-dedans, les filles, quand même !

● En cas de grosse fringale…

Quand on a faim avant de passer à table, et que les lasagnes mettent bien trop longtemps à cuire à votre goût, plutôt que de vous précipiter sur le saucisson, les chips et le pain, essayez le grand verre d'eau d'abord, et si vous avez envie de nourriture plus consistante, un fruit ou un yaourt, des petits légumes (tomates, concombre, radis) feront l'affaire et ne vous couperont pas l'appétit pour apprécier les fameuses lasagnes de maman, ou les vôtres, maintenant que vous savez les faire !

Le plaisir
de se mettre à table

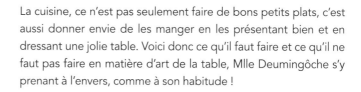

Une présentation irréprochable !

La cuisine, ce n'est pas seulement faire de bons petits plats, c'est aussi donner envie de les manger en les présentant bien et en dressant une jolie table. Voici donc ce qu'il faut faire et ce qu'il ne faut pas faire en matière d'art de la table, Mlle Deumingôche s'y prenant à l'envers, comme à son habitude !

● La table de Mlle Deumingôche

La table de Mlle Deumingôche, on a l'impression qu'elle a tout lancé dessus et que les choses sont tombées n'importe où, au hasard : les assiettes sont soit collées l'une à l'autre, soit très espacées, couteau à gauche, fourchette à droite, cuillère dans les verres, quand ils ne sont pas retournés. Les serviettes ? En tas au milieu de la table, ou sur les chaises, dépliées, avec des torchons, parce que ça se ressemble drôlement !

● Votre table

Vous avez mis un soin tout particulier à dresser la table du dîner : vous avez déplié une belle nappe, placé les assiettes à égale distance (pour que les convives ne soient pas serrés comme des sardines ou éloignés comme Paris de Marseille), mis le ou les couteaux à droite, la ou les fourchettes à gauche, disposé le ou les verres, le plus haut à gauche pour l'eau, le plus petit à droite pour le vin, ajouté une carafe d'eau fraîche et une corbeille de pain (pas avec la baguette entière en travers !). Quant aux serviettes, les éventails ayant piqué du nez du haut de leurs verres en direction des assiettes, vous avez préféré les plier simplement dans les assiettes et, ainsi, vous êtes une parfaite maîtresse de maison !

154

● Le buffet de Mlle Deumingôche

Mlle Deumingôche organise une soirée, elle a décidé de faire un buffet, c'est plus pratique et plus convivial. Quelques paquets de chips sur la table, et des cacahuètes (toujours dans leur paquet) et des pistaches. Pour la suite, des petits légumes à tremper. Mais les éplucher, c'est barbant, alors elle les pose direct sur la table, avec les sauces qu'elle a quand même réalisées de ses blanches mains, mais elle les laisse dans les saladiers dans lesquels elle les a préparées, avec projections de fromage blanc sur les bords, comme ça, on voit que c'est du fait maison ! Jambon, tranches de viande froide et de saucisson sont dans les papiers vichy rose du charcutier, au milieu des bouteilles d'eau, de jus de fruits et de cola. Heureusement que sa copine Stéphanie a apporté un beau gâteau au chocolat décoré, ça relève le niveau, quoique placé à côté des fruits encore dans leurs sacs en plastique avec le prix dessus, ça contraste ! Et Mlle Deumingôche de s'étonner à la fin de sa soirée que personne n'ait touché à son buffet (sauf au gâteau au chocolat, comme par hasard !) !

● Votre buffet

Vous organisez une soirée et décidez de faire un buffet, c'est plus pratique et plus convivial. Vous couvrez la table du salon d'une jolie nappe en papier de couleur : c'est beau et ça protège la table, et agrémentée de quelques confettis, de bougies qui brillent et de quelques fleurs qui flottent dans de grands saladiers transparents, c'est tout à fait ravissant ! Chips et autres biscuits apéritif sont disposés dans de jolis bols, les emballages, direction poubelle ! Quant aux petits légumes, ils sont alignés sur un grand plateau et entourés de deux bols de sauce, sans éclaboussures. L'eau et le jus d'oranges ont leur carafe. La charcuterie est disposée dans des plats, les tranches de jambon roulées, les tranches de saucisson se chevauchent. Le gâteau au chocolat trône fièrement au centre de la table, glacé et décoré, au milieu des fruits lavés. Votre buffet est un franc succès. Après la soirée, il n'y a plus rien à picorer !

Mes recettes

Mes recettes

Mes recettes

....

....

....

....

....

....

....

....

....

....

....

....

....

....

....

....

....

....

Carnet d'adresses

Nous remercions les boutiques citées ci-dessous
pour nous avoir prêté des ustensils très *girly*
pour réaliser les photos de ce guide cuisine 100% filles !

● Ikea,
numéro indigo 0 825 826 826, www.ikea.fr
● Plastiques,
103 rue de Rennes 75006 Paris, 01 45 48 75 88
● Maisons du Monde,
32 rue du faubourg Saint-Antoine, 75012 Paris,
liste des points de vente au 02 51 71 17 17
● La Samaritaine,
19 rue de la Monnaie, 75001 Paris, 01 40 41 20 20, www.lasamaritaine.com

● Ikea : pages 12,14, 16, 17, 18, 20, 26, 28, 29, 30, 32, 36, 42,
48, 54, 58, 60, 62, 64, 72, 75, 76, 84, 85, 88, 89, 101, 104, 114,
116, 118, 120, 122, 124, 128, 131.
● Plastiques : pages 12, 14, 16, 17, 18, 26, 36, 42, 44, 51, 56, 57, 70, 72, 76, 80,
84, 85, 88, 90, 100, 108, 114, 116.
● Maisons du Monde : pages 40, 46, 49, 64, 70, 92, 98, 101, 122, 126.
● La Samaritaine : pages 20, 28, 29, 30, 34, 40, 46, 51, 54, 56,
58, 60, 64, 74, 76, 82, 90, 94, 100, 102, 104, 106, 110, 120, 122, 126, 130.

Nous remercions aussi M. Boyer (marché de Corbeil-Essonnes)
qui a apporté sa touche de couleur pour composer
nos photos d'ambiance sur le marché.

Achevé d'imprimer en août 2005
En Chine par Holinail · Paris 11ᵉ
N° d'édition : 05096
Dépôt légal : septembre 2005